深圳新锐小说文库

主编　杨争光

总策划　邓一光　尹昌龙

四个叛徒

钟二毛 / 著

海天出版社（中国·深圳）

图书在版编目（CIP）数据

四个叛徒 / 钟二毛著. — 深圳： 海天出版社，
2016. 1

（深圳新锐小说文库）

ISBN 978-7-5507-1511-0

Ⅰ．①四… Ⅱ．①钟… Ⅲ．①中篇小说－小说集－中
国－当代 Ⅳ．①I247.5

中国版本图书馆CIP数据核字(2015)第280347号

四个叛徒

Sigepantu

出 品 人：聂雄前
书稿统筹：于爱成
责任编辑：涂 俏 蒋鸿雁
责任校对：谭万欧
责任技编：蔡梅琴 梁立新
装帧设计：李松璋书籍设计工作室

出版发行：海天出版社
地　　址：深圳市彩田南路海天综合大厦（518033）
网　　址：www.htph.com.cn
订购电话：0755-83460293（批发） 83460397（邮购）
排版制作：深圳市思成致远创意文化有限公司 0755-82537697
印　　刷：深圳市顺帆达印刷有限公司
开　　本：787mm×1092mm 1/16
印　　张：18
版　　次：2016 年 1 月第 1 版
印　　次：2016 年 1 月第 1 次
定　　价：29.80 元

序　言

主编这套文库，是一种享受。

阅读十二位青年作家的作品，更是一种享受。

还有鼓舞。

边鼓边舞——兴奋！

十二位文学新锐，是从几十位符合条件的作家中推选出的，也许并不能代表深圳文学的高度，却能真切地感受到深圳文学滋养、生成的元气、生气、意气。有这三气在，新的高度是可以预见的——不仅是将来深圳文学的高度，也许还是将来中国文学的高度。

三十多年，能聚集如此整齐的文学集群——我实在不愿使用"新军"这个词，文学实在不是因为利益或信仰而生发的战争，文学群体也实在不是军事组织——也只有深圳能够。

我从来都认为，"文化沙漠"是对深圳的误判。面对这种误判，深圳以它包容开放的胸怀和着眼未来的视界，踏实、稳健地建设着自己的文化。来自五湖四海的深圳人，携带着他们各自的文化之根，就地栽培。移民，遗民，夷民，互不嫌弃，互不抵牾，欣然接纳，不拒杂交——深圳就是这么任性！养性之后的任性。现在完全可以说，深圳不仅是个经济奇迹，也创造了文化培育、积累和健康生长的奇迹。

文学是文化的组成部分，并处于文化最敏感、最精致的部位。深圳文学曾有过短暂的浮躁。浮躁是一种内在焦虑导致的精神和行为变形。很快，这种浮躁就成为浮云而升天，留下的是平稳的文学耕耘。而且，这种文学耕耘的主流是非职业的民间写作。本文库中的十二位小说新锐，都不是所谓的专业作家。仅凭这一点，不仅这十二位，整个深圳文学的生态，也可以是未来中国文学生态在当下的一个试水，或者说是一个示范也成。这就是深圳的见识。也是深圳的性格：有健康理性为根基的见识，就付诸行动，创造成果。

深圳有"打工文学""青春文学""网络文学"，但以为这就是深圳文学的标志，也是一种误判——对深圳文学的误判，正如"文化沙漠"说对深圳的误判一样。每一位作家都是打工者；许多作家都可能以"打工者"作为他们的文学形象。每一位作家都有或有过青春期；过了青春期的作家也可能叙写"青春"。在互联网时代，每一位作家都不可能或很难拒绝网络，"网络文学"作为一种瞬间现象，已经成为过去时。深圳文学将不在所谓的"打工文学""青春文学""网络文学"等等标签的框定里打转。

文学就是文学，不是别的。文学和"打工""青春""网络"遭遇，将是日常性的。深圳文学要的不是有形无义的标签，而是真正属于文学的品相。这品相既是深圳的，也是中国的、人类的。福克纳以一块"邮票大的地方"为文学地盘，写出了人类的精神境遇，以及充盈于胸的悲悯情怀。鲁迅以"未庄"为文学地盘，塑造出了可与堂吉诃德相媲美的人类精神形象。本丛书中的十二位作家，性格不同，文笔各异，却都有着不甘平庸的文学野心。他们守着深圳，一个现代与后现代并存、移民与遗民甚至夷民杂居、物质与精神厮杀、灵魂与肉体纠缠、解构与建构时刻都在发生的地盘上，文学野心能否成为文学现实，我不敢妄言，但深圳应该有着它足够的耐心，等待和期盼。

说得似乎高亢了点。那就降低调门，轻声说几句：由于先天性营养不足——比如，长期缺乏不断发展的自然科学和人文科学的后援与支持；比如，白话文写作至今也不足百年的实践，等等——从整体来说，中国的叙事文学，包括小说艺术的家底，并不丰厚。五千年中华文明固然伟大，但仅以此作为现代小说艺术的滋养，我以为是不够的，因为小说艺术要抵达的是整个人类。

鲁迅是清醒的："过去的生命已经死亡。我对于这死亡有大欢喜，因为我借此知道它曾经存活。死亡的生命已经腐朽。我对于这腐朽有大欢喜，因为我借此知道它还非空虚……"以汲取营养论，鲁迅是母奶和狼奶通吃的。正因为清醒，还在中国现代文学起步的时候，他的心血书写，创造了中国文学的高标。

精神荒芜，思想枯竭，是人的穷境，文学的死境。

在生命的关口，守住了人的底线，也就站在了人的高点。在文学的关口，守住了写作的底线，也就守住了文学的高地。

我愿以此与年轻的同道们共勉。

末了，还有几句说明：

本"文库"又称为"12+1"，即十二位文学新锐的作品，并一本文学批评专著。相信批评专著能对十二位青年作家作品——或许还有深圳文学，有精到的解析。

本"文库"由邓一光先生提议，他和尹昌龙先生任总策划，由我担任主编。具体的联络、协调及编务工作，是由工作室的几个年轻朋友做的。

本"文库"的作家年龄均在四十五岁以下（含四十五岁）。吴君、盛可以诸位应在此列，因事先议定的原则，未进入本文库，是一个遗憾。

本"文库"由深圳市宣传文化基金全额资助，海天出版社独家出版发行。

为深圳文学祝福。

杨争光

2015年6月26日

目　录

洗　尘

题记：我笔下的这些男人，生活如此混乱。我想，除了性，他们一定是在找什么。当今中国，很多人都这么生活着，活在感觉里，空空，荡荡。

1

不能说，郭伟东一信佛，生活就完了，生活就没色彩了。你答应，佛都不答应。佛不是让人的生活一潭死水，佛应该是让生命精彩。

也不需要打上"×年后"的字样。那是电影。一句"×年后"就把×年轻易抹掉，仿佛那×年过的日子都不叫日子。哪个日子不叫日子。生活就是一秒接着一秒，一天接着一天，前赴后继，永不停歇。每时每刻，心潮都有起伏，事物都在变化。变化才是世界，世界就是变化。

郭伟东在寺庙里吃完第九九八十一顿斋饭后，下了山。他特意让副总老于先下山，在停车场等他，他随后就到。

郭伟东背着手，走得很慢。下山路顺着一条石涧小溪而蜿蜒，因为是一大早，路上几无香客，出奇地冷静。溪水白白，遇石头拐弯，遇峭壁则直冲而下。有落叶漂浮在水上。时间已经入秋了。

郭伟东心情一点也不纠结。就像溪水一样，遇石头拐弯，遇峭壁则直冲而下。自己进山将近三个月，把公司所有业务交给了同甘共苦十多年的兄弟、副总老于，他放心。现在公司出了大事，他自然要出面摆平。今天的下山，是为了明天的进山，想到这，郭伟东眉间一笑。

看到郭伟东背着手下来，不紧不慢，站在车边的老于也不好表现得太激动。老于太了解郭伟东了。有他在，事情就好办。

老于想起当年创业的时候，他们一起去泡妞，昏暗的歌厅里，突然他人就不见了，四处一找，原来这厮在酒吧外面的桌球台边上，手里摇着半杯酒，正和一美女轻声低语、眉目传情。不一会儿，球枪交到他手里，两个人打起台球。郭伟东打得一手好球，尤其擅长打角度球，白球撞在桌沿上，反弹，弹到另外一边桌沿，再反弹，击中球，球再击中球，球慢慢滚动，速度越来越慢，在最后要停下来的那一刻，落袋，进了。任何一盘球，他都要卖弄一次，每次总能赢得阵阵掌声。掌声一起，就意味着美女也落袋了。假如对方技术也不错，那就尽情切磋，耍酷、耍帅，把女人的好胜心撩拨得奇痒无比。如果女孩水平很烂，那就上去教她，从身后贴上去、顶上去，在女孩的耳边轻柔地说着如何瞄准、如何出杆、如何发力，一边说一边往女孩的耳边吹着热气……接下来，结果如何，司马昭之心，路人皆知。

关于桌球一事，老于专门问过郭伟东，没见你练过桌球啊？郭伟东神秘一笑，偷偷练的，专门请了师傅教。为什么要练？就是为了泡妞。你观察到没有，越是高档的、情调好的酒吧，都特别分出一个安静区，清吧，供人聊天、休息。这个安静区基本上都会放一两张桌球台，有的还会放斯诺克，靠，那么长，多占地方。图的是什么，就是要营造一种优雅。一些不愿蹦迪、不愿听歌手唱歌的女人，只好来到这里，抽烟，或者欣赏夜景。来酒吧却讨厌蹦迪、听歌的女人，本身就是很有味道的女人，一个比一个优雅，长裙拖地。勾搭上了，邀请打一两盘桌球，运动运动，健康，又有品位。

老于一点也不怀疑郭伟东专门请了高手教授球技。他这个人就是这样子。一只老狐狸，无论是情场还是商场，城府很深，深不可测，测也白测。也是一只好胜的老狐狸，永远都不打无准备之战。赢的过程不动声色，赢的结果让你惊呼、佩服，一不小心还会爱上他。老于甚至觉得，郭伟东家里就摆了一台桌球，没事就练角度球。这太有可能了。

一张报纸铺在车屁股上。一看那标题字体比手指还粗，郭伟东就知道是发行量最大的早报。公司又上报了。

报道的标题是：

南国苑电梯空中坠落致孕妇流产

标题下面还有一行：

经查，电梯已过年检期限，酒店老板人间蒸发

报道上有一些红杠杠，是老于标记的。红杠杠画出的重点意思还是那两个：一、未年检，责任一目了然；二、记者致电酒店负责人郭伟东，电话始终处于关机，联系不上。

郭伟东收起报纸，钻进车里，问，网络上有什么反应？老于

答，有！微博上有传，比较厉害，有人说要人肉搜索你。

郭伟东摸摸裤袋，这才发现自己手机压根没带。IPAD带了吗？给我，打开微博！郭伟东直起身子，手已经伸向了老于。

接到平板电脑，郭伟东迅速浏览，嘴里同时问，深圳那几个意见领袖发言了吗，转了吗？马上让办公室通知媒体，不是酒店的办公室，是公司的办公室，另外是所有媒体，每个媒体邀请三个人，一个主任、一个文字记者、一个摄影记者，来不来是他们的事，必须这么邀请！

老于立即把电话拨了出去。

还有，跟记者发信息不要说是新闻发布会，说是情况通报会，时间是……上午九点半，地点在公司会议室。另外，下午继续召开情况通报会，邀请对象是粉丝大户、意见领袖，时间不要定那么早，定在四点半，地点还是公司会议室！快，就这么定。

酒店受影响有多大？郭伟东又问。

很大。电梯封了一天。当晚就修好了，第二天几个部门过来检测，也通过了，可以正常使用。但这事谣言纷纷，影响没有消除。周末订出去的酒席全退了。

立即给酒店打电话，让他们立刻、马上挂出暂停营业、安全检测的告示，停业一个星期，不，半个月。

好。老于电话又拨出去了。

郭伟东看看表，又让老于打了第三个电话，现在我们去医院，看望伤者，路上有取款机取两万现金，鲜花、水果都买上。

电话打了，伤者情绪很大，说法庭上见，宁可一分钱不要，也要搞臭南国苑。郭伟东离电话那么远，都听清楚了。

去了再说。小童，车尽量开快点！

好，郭总！司机回答得很利索。

郭伟东当老板十多年，从最开始的包工头、创业，到后面公司越做越大，业务越来越多，装饰、酒店、超市、户外广告。类似的事故不多，但也没少过。去年，也是在南国苑酒店，一个员工夜班下班，一出酒店门就被车撞死，车主逃逸，员工家属要酒店赔钱，嫌赔少了，天天在酒店门口烧香哭闹。还有，一个大酒席，百来号人，喝完喜酒后回到家，个个肚子痛得打滚，一查，是醋熘肥肠霉菌超标，去医院看望，一个偌大的输液室，全是自己的客人，壮观得不得了。还有一次，安装户外广告，手下的员工嫌树枝挡住了牌子，为了给客户一个最好的效果，脑子没转弯，摸黑把高速公路路边的七八棵景观树给腰斩了。未经报批，老天，这是侵犯国有财产啊！城管、路政、公安天一亮就找上门来，二话不说，要抓人。

惹祸的故事太多了。但最后都被一一摆平了。郭伟东有他自己的招。

但这次有点悬。火力太猛。

到了医院。见到了伤者。

郭伟东自报家门，低头，不由自主的双手合十，我来晚了，对不起，给您和您的家人造成了伤害，对不起，向您道歉，也向您的家人道歉，一切责任由我们承担，我们绝不推脱一丝一毫。

郭伟东又从小童手里接过花篮和水果，摆在病床旁的小铁柜子上。水果篮上有两沓人民币。郭伟东说，这两万块是我作为酒店负责人的一点慰问，跟赔偿没有任何关系。

坐在床头的一个男人——孕妇的丈夫，站起来，吼道，你才过来道歉，我们已经请了律师了！滚蛋！

郭伟东说，我是个出家人，这几天一直在寺庙里，出事后，公司副总于先生第一时间去山上找我，但我去了另外一个山头，念经、打坐。我也没开手机。他们没找到我。来晚了，真的对不起。一切都是我们的错。

话好水也甜。伸手不打笑脸人。这两句古话，郭伟东从小听得最多，那是中国乡村社会几千年留下来的处事经验。

你坐下说吧，反正事情都已经发生了。病床上的女子开口了，你们也不是故意的，但责任确实是在你们身上。

郭伟东听到身后的老于吐了口长长的气。这一个细小的动作，已经发生好多次了。两个老搭档，一个将，一个帅，商场上一前一后，一左一右，被人耍过，被人坑过，一路过来，建立了一个半大不小的商业王国。

接过小童递过的一只方凳，郭伟东坐下来，坐在床沿边边，顺手做了一个动作，把掉下床的半尺被子给掖了起来。

孕妇的丈夫递交了一份起诉状。起诉状的关键部分自然是赔偿。一百万。

身后的老于显然是瞄到"一百万"这个数字，忍不住开口了，你们要求的一百万是不是太多了点，您看这个新闻。

老于哗啦哗啦从IPAD找出一则新闻，一字一句念起来，你看，我随便百度一下，这是2011年11月21日北京晚报的报道："三十七岁高龄孕妇王女士刚怀孕十余天，不幸被过路车辆撞倒受伤，住院接受大量药物治疗，不得不采取人工流产手术以终止早孕，遂起诉索赔。密云法院近日判决保险公司、肇事司机共赔付王女士十一万余元……"

别跟我说这些，一百万，少一分钱都没用。孕妇的丈夫梗着脖子。脖子上有颗瘊子，扁扁圆圆黑黑的，像沉默而怒气未消的眼珠子。

二十万。或者您再咨询下律师。咱们拿出一个大家都能接受的数，您看，行吗？老于问。

不行。痦子蠕动了一下。

郭伟东把目光从起诉状上移开，看了看窗外。

花篮里的鲜花遇见清晨的阳光，开始释放清香，一点一点地沁入人的心脾，心似乎也在慢慢地打开。医院总能给人宁静的感觉。郭伟东想起自己一个人住院的时候，洁白的四面墙，镂空的白色窗纱迎一缕晨风荡漾，那种四处一片白的感觉，真的让人怀念，宁静而唯美。

行了，于总。就按他们说的办，一百万。九点一上班，立即交代财务办理。郭伟东没有立即坐起来，手再次掖着被子，像在部队里叠军被一样，细细地整理着，然后慢慢抬头看看床上的女子，说，这是我们应该承担的责任，谢谢你们，我也再次表示道歉，给您和您的家人造成这么大的伤害，希望您有机会继续到南国苑做客。

说完，郭伟东起身，双手合十，鞠躬。

回到公司，正好九点。

公司的写字楼租在一栋美术馆的顶层。这个美术馆不是官方的，是一家艺术奢侈品专营公司运作的，格调十分高雅。青砖、白墙、竹林、池塘、荷花，就这几样东西，简简单单地让这片不算大的空间，有了禅的味道。

公司的中层干部、一些员工早早到了办公室，似乎都在等待郭伟东的出现。郭伟东没说什么，坐进自己的办公室里。他有点不习惯，习惯性地想盘起腿来。

他希望，事情赶紧处理完，他想回到山里去。

第一场情况说明会。

所有媒体都到了，早报、日报、晚报、都市报、商报、新闻周刊、电台、电视台、新闻网。近四十人，圆桌会议室挤得满满当当的了。要不要换到大会议室？九点二十，公司负责宣传的小金，敲开董事长办公室，急促促地问郭伟东。

挤一点，气氛正好。郭伟东说，记得每人一瓶矿泉水要发到，不要摆水果。更不要留饭、给红包。这次不同以往。

九点三十分，一秒不差，郭伟东推开圆桌会议室的门。

第一步，自报家门。

镁光灯起，咔嚓声起。这镁光灯、咔嚓声，可以让人陶醉，也可以让人恐惧。但郭伟东觉得那就是一个照相机的工作程序，而已。因为，郭伟东心里早有底了。在他看来，和伤者的谈判是解决一切问题的基础。赔偿是本，媒体是末。他没有舍本求末。

第二步，出示一个小时前在医院病房与伤者达成的赔偿协议，以及现场双方签名的两张照片。

第三步，出示南国苑酒店主动停业、全方位自查自纠十五天的告示。

第四步，出示质量技术监督局、安全生产监察办等部门开具的处罚单、缴纳罚款证明，以及现场检查、检测、调试正常的照片和合格证明。

第五步，解释事发当日，自己人在山上寺庙，手机处于关机状态。

有记者提问，有何证明你在寺庙里？郭伟东说，我早准备好了，大屏幕上的这个电话是寺庙方丈办公室的电话，事发当日，我还和他见了一面，是他告诉我对面的一个山头上有一处不错的修行地。八十一天前，我上的山，今早我下的山，其间，一直在山上，上山下山都有监控录像，有必要时，也可以调出来证明。

四十分钟的情况说明会顺利结束。郭伟东回到办公室，打开一个新闻网站，果然，公司通报的几个情况已经上网了。记者还连线伤者，证实已经收到赔付的一百万元。

再刷新几家报纸、电视台的官方微博，也都做了现场直播。

没有夸大，没有曲解，没有炒作，甚好甚好。

有家网站的标题，稍稍有点跑偏。它写的是：

南国苑老板已出家，无心经营生意场

这是哪跟哪。

中午，郭伟东请全体员工到隔壁的西餐厅吃自助餐。大家从网络、微博报道的情况看，得知危机算是过去了大半。大家也显得很兴奋，自助拿饭菜时，个个都轻声问候这位"出家人"老板，充满了敬佩。

老于和郭伟东，坐在一个角落里。老于问，怎么答应那么爽快，一百万呐！

郭伟东松懈下来，耷拉个肩，半天吐出一句话，该大方时要大方。夜长梦多，不好。

老于是懂的，这个。只是觉得大方过头了点。

负责宣传的小金端着个盘子，找不到位坐。郭伟东喊了一声。小伙子坐了过来，用一副崇拜的眼神看着老板，连续发问：为什么说圆桌会议室挤一点气氛更好？为什么不留饭、不给红包？

郭伟东把一块鸡翅夹给了小金，看了老于一眼说，这个问题让于总替我回答。

老于哈哈一笑，说，这是负面新闻通报会，空间狭小，人与人面对面的距离短，有一种压迫感，大家的注意力会更集中，我们说的话，记者会听得认真，不会断章取义，这样会议开下来效率很高、效果也很好。如果你把大家叫到天台的花园去，那岂不完蛋了。

拉到天台花园，那不叫通报会，那叫相亲交友会，哈哈。郭伟东补了一句。

老于继续说，这种会，当然不能留饭，更不能给红包。你留了、给了，人家会觉得你在贿赂记者。记者带你一笔，说，出事的公司还给了封口费，但被媒体严正拒绝，那不是搬起石头砸自己的脚？

那为什么下午还要召开微博粉丝大户、意见领袖的通报会？小金又问。

郭伟东回答了这个问题，因为这些粉丝大户、意见领袖不少是各行各业的精英、总监、CEO、董事长，他们是成功人士，有闲、有钱、有思想，关注公共领域，既然我们已经把善后工作做好了，请他们过来怕什么，没准还可以交个朋友，以后就是商业伙伴了。

所以要把时间安排在下午四点半，通报完，聊聊天，正好是吃饭时间……小金反应过来。

恭喜你，答对了。

那人家会来吗？小金反问。

该来的，总会来的。郭伟东神秘一笑，就像你泡妞，有时用尽手段，泡不到，有时不理不睬无所谓，嘿，妞来了。哈哈哈。

大老板这么一开玩笑，小金有点不知所措。

2

面上的工作基本做完。电梯修好，检测通过。该打点的部门打点了，该说好话的老关系说好话了。媒体通报会效果明显，报纸、电视不再后续报道，网络上虽然拦不住，但也多是些借题发挥的，有的谈到企业责任，有的谈到如何做好危机公关，有的回忆电梯惊魂往事，有的议论孕妇日常安全保护……焦点转移了。

现在关键是南国苑的营业问题。怎么消除消费者的阴影？这可不是一次通报会，一次大方赔付能解决的问题。

所以，郭伟东让酒店主动告示停业十五天，一方面是彰显酒店对此次事故的重视，另一方面也是给自己一些时间做出更好的对策。

重新开业第一天，客人一定一定是很少的，消费者的心理永远是宁可信其有，不愿信其无。凭什么你说电梯安全就安全了，万一事故重演，别说空中坠落，就是停在半空，也够吓人的。你说打折、优惠，你就是白吃白住，顾客也未必就蜂拥而至。能来得起酒店的，都不是贪小便宜的人。郭伟东思考问题，喜欢把结果想到最坏，最坏的结果就是，重新开业，门罗可雀，一天两天三天，持续下去一周，越不行就越不行，恶性循环，竞争对手伺机一发力，推出新服务、优惠、打折让利，自己的员工一跳槽、一懈怠，懈怠最容易出问题，酒店说垮掉就垮掉……

不是没有可能。郭伟东看多了。多少商业伙伴错一步全部错。商场就是这样子，你必须想到最坏的结局，然后尽力避免，你不能走一步看一步。不能等，必须提前布局，运筹帷幄。商场不像情场，情场是男人与女人之间的心理暗战。心理，这东西最大的特点就是没有特点，随性而起，阴晴不定，捉摸不透。关键是，他妈的，你还分不出谁胜谁败，最后谁泡了谁。

必须要把恢复营业头几天的场面做起来。

场面太重要了。

场面是给自己看的，是给员工看的，是给竞争对手看的，是给消费者看的。

场面就是信心。

场面就是影响力。

场面就是生产力。

郭伟东再联想到泡妞。为什么酒吧里多少公子哥一坐下来，啪的一声，一把车钥匙摆在桌子上，精神百倍，容光焕发。那是因为车钥匙上刻着醒目的标志，奔驰、宝马。这钥匙一放，场面就来了，胆壮起来，挥舞起来，见谁都是孙子，更何况一小妞。

一切围绕场面动了起来。

有关部门自不必说，质量技术监督、工商、派出所、消防、环保、劳动保障，这些本来就有业务联系的，他们的头头脑脑、一把手二把手，少不了。县官不如现管，一些直接办事的要害处室、科室，更得"另行处理"，比如特种行业处、相关协会、街道安监办。这些部门级别不高，但随便卡你一下，你哭都哭不出来。

定下要请的部门后，郭伟东吓了一跳，有两三年没请这些官老爷了，这次一定要把关系拉回来。再不拉回来，是要出大事的。

郭伟东深谙此道，提前三天逐个办公室去拜访，提交整改报告，有图有真相。文字尽量少，图占主要。图为现场图，还分整改前、整改后。聆听一番官腔之后，郭伟东送上邀请函。邀请函写着：南国苑酒店整改现场汇报会。

企业主动请求各个部门联合检查。只有这样，才能一呼啦把十几个部门的领导请过来，坐在一张桌子上，谈工作，谈社会，谈人生，谈交情。再说了，不这样，一个领导一个领导地宴请，那战线得拉多长？成本太大。而且，领导未必赏光，因为一次请一个，那不是公事，是私人来往。当官的，最忌讳和关系一般的企业家私下吃饭喝酒，那饭吃得不清不楚，酒喝得不明不白的。

整改汇报会，开得很成功。这成功不是说请的人都出席了，而是酒店确实有了实实在在的变化。郭伟东是花了真金白银的，借电梯事故，把酒店全方位整了一遍。比如，楼梯坡度问题、洗手间防滑问题、宴会厅舞台电路问题、厨房消防问题、摄像头监控死角问题，等等。这些问题都出现过大小不一的问题，如今都清理了一遍。局长、副局长、处长、科长们看了之后，心里也很开心。这也是他们的工作职责。

工作开心，生活就开心。当晚的酒席异常欢乐，完全是郭伟东为这些官员开了一个社交派对。为了避嫌，酒席没有安排在南国苑里，而是在另外一家比南国苑更高档的酒店里。酒过三巡，局长们互相推搡在一起，称赞郭伟东这个汇报会组织得好、组织得及时。郭伟东一边谦虚着，一边给每人递上一张卡，持这张卡到南国苑消费，一律五折，不记名，见卡有效。

郭伟东心里有数，只要这些人来，哪怕是他们的太太还是情人，酒店就有赚。因为南国苑粤悦酒楼有两样最出名：食材最真最出名，价格最贵最出名。

官老爷的吃请一完成，意味着憋了十五天的南国苑，真的可以恢复营业了。

第二战，开业头三天的场面。

做服务业，甭管是打折，还是白送，你得有人来。人永远是最重要的。葛优说，21世纪，人才最重要。太啰嗦了，简洁点，人最重要。

去哪里找人？

再说土一点，去哪里找老板？因为吃得起粤悦酒楼的，非官即富，而官，不是说你想找就找。富，只有找老板。

像传销一样，先从熟人下手。第一个电话打给自己的多年老友，田其方。

老田和自己的经历、身世大同小异，都是从农村出来，学历没多高，但自命不凡，闯出一条血路。老田最早来深圳时，是个木匠，帮人打家具，手艺很好，结果被老板看中了，请到厂里来，专门做仿古的家具，纯手工。两年后，老板发了，老田有了本钱，也单干了。做家具起家，然后在偏远的工业区里开网吧、开超市、承包食堂，每个打工仔打工妹的工资有三分之一都流进了老田的荷包。后来房地产起来了，老田开起了建材市场。房地产调控了，又开始收购旧工厂的物业，修修改改，穿衣戴帽，租出去，成了现在最时髦的创意产业园区。

郭伟东偶尔开老田的玩笑，你是时代的弄潮儿，永远屹立在潮头浪尖上。

虽然这两三年很少见面，但一个电话打过去，老田还是很快奔了过来。老田说，我来捧场没问题，以后公司所有的宴请都定在南国苑，但这也不够啊。

郭伟东说，那你得帮我想办法。

哈哈，我是带着办法来的。老田从屁股裤袋里抽出一张报纸，展开，你看这个报道。

这是一个比豆腐块还小的"豆腐块"：

　　本报讯（记者　钟润生）"企业反映困难的渠道拓宽了。"昨日，我市首个街道商会党代表工作室，在新井商会揭牌。

　　新井商会党代表工作室旨在拓宽服务企业平台，由党代表听取企业的意见或困难，为企业提供帮助。每周一固定为党代表接访、走访时间，每月组织党代表接访不少于3次。在接访、走访过程中，党代表将当场解释、答复或解决企业提出的问题，对于当场无法解决的，党代表将提出处理意见，转交相关部门限期办理落实。

新井商会？

　　想起来了，郭伟东的南国实业公司就是新井商会的会员。这还是老田介绍入会的。老田是新井商会的理事。新井是个很郊区很郊区的街道，地头蛮大。五六年前了，老田在新井街道有很多产业，入乡随俗，自然加入了当地的商会。一次慈善捐助会上，老田把郭伟东介绍给了新井商会的会长，一个本地人，季宏达先生。季宏达先生当场邀请郭伟东加入商会，互相扶持，共同发展。一个百利无一害的事，郭伟东现场就填了入会表。

　　老田说话了，别看这个报道小，但新井商会现在牛得不得了，几年工夫，季会长打通各种人脉资源，给会员企业争取了很多实实在在的福利，比如说，打报告给政府，整治工业园区周边的交通、环境，修人行天桥，简化企业报关手续等，越来越多有料的企业加入进来，现在小公司小厂，想入会还进不去呢。

　　郭伟东明白办法在哪里了。拜访会长，让会员老板们帮衬困难企业——南国公司。

就是这个办法，明天我陪你一起去找会长。老田够爽快、够义气的性格，一直没变。

郭伟东留老田吃饭。老田问，就我们两老男人？

是啊。

那多没劲。等下，我叫个妹妹。

菜都上来了，妹妹才带了一个妹妹，敲门而进。

两个看上去三十出头的妹妹，主动介绍，我叫湛湛，我叫明明，并且递上名片。湛湛是一家广告公司的老总，一看就是那种有什么业务做什么业务的小公司。明明在一家房地产公司里，做策划。

从眼神即可看出，老田和湛湛是一对。两人坐在一起，男人给女人夹着菜，女人给男人递着纸巾。女人的连衣裙胸部开得很低，男人隔三岔五搂搂女人的腰。

郭伟东觉得特别无趣，嘴里的食物，总好像有一粒沙子，嚼着无味，而且不管再怎么注意，都会咯咯地响，防不胜防。

一顿饭下来，郭伟东感觉自己在做梦。眼前一米处，是湛湛性感的胸、一对男女的调情。但这些似乎成了空气，一点也没有刺激到自己。明明走近来敬酒，那也是一身凹凸。她穿的是严谨保守的西装工服，但胸前鼓出来的却是呼呼的诱惑和挑战。这也没让郭伟东起半点涟漪。女色、性、欲，好像已经飞出了自己的身体。

这让人紧张。郭伟东手禁不住搭在自己的双腿间，抓了抓。软软的，还在。郭伟东以为自己成了太监。

3

想不到季宏达还记得郭伟东。

好久不见啊，郭老弟。一双大手握过来。冰凉，生硬，但很有力。

入会这么多年，还是第一次拜会会长，还请多多海涵。郭伟东弯腰抱拳，而且会长还记得小弟，三生有幸三生有幸。

兄弟，别客套。没来拜访我，说明你生意忙，这是好事，也是商会的好事。另外，你是才子，我知道你会写小说，这在我们商会里，你是文化人，你加入商会，是商会三生有幸，也是我三生有幸。

郭伟东愣住了，还有人知道他写小说？从哪里得知的？郭伟东不好追问。追问就显得矫情了。

老田开门见山了。把南国苑酒店的事情、郭伟东的难处三言两语就讲清楚了。郭伟东欠了欠身，补了一句，无事不登三宝殿，初次拜访就有求会长，真是不好意思。

郭老弟，你这么说就见外了，都是一家人。首先我要跟你说，我很喜欢你的这种作风，排场，一定要排场，否则竞争对手会偷冷笑。我支持你！会长始终面带微笑，仿佛没有任何事难得住他。如果他长得胖一点，活脱脱一个弥勒佛。

会长把商会办公室的主任喊了进来，要求把第二天联谊会地点改在南国苑。

趁会长交代的时候，郭伟东环顾了下会长办公室。房间很大，但东西很少。迎面墙上是一幅草书，辨认了很久，方知是"据梧"二字。除了这两个字，没有多余字画。沙发背靠的书柜上，古书居多，四书五经，但排列得并不整齐，给人感觉，这些书经常被主人取用。书柜里有一排吊着的毛笔和一沓宣纸。

没有领导题词、牌匾、证书、奖杯；没有"天道酬勤"、"上善若水"；没有"骏马图"、"花开富贵"。这间办公室，非同一般。

全部交代好了，明天晚上，新井商会一百一十六个会员企业的老板，全到你们酒店开会，开我们这个月的会员联谊会。不用打折，该怎么收费就怎么收费。会长两手把在沙发背脊上，说得既轻松又坚决。

事情已经解决，再多解释，或再多感谢，就显得无趣了。郭伟东岔开话题，问起"据梧"两字。会长一把拉起郭伟东，站到墙下，对郭伟东跷起大拇指，你有两下子，你是第一个认出是"据梧"，啥意思，据，占据，就是占有、拥有的意思，梧呢，梧桐木，梧桐木干吗的，古时梧桐木是做琴用的，因为它很轻嘛，据、梧，就是虽然怀里抱着一截梧桐木，但其实就是抱着一把琴，心境悠远，雅从心生。

一番解释，让郭伟东吸了口冷气。这个会长，不一般。

南国苑恢复营业，旗开得胜。

说是一百一十六个会员企业的老板来，其实加起司机、随从，宴会大厅至少坐了两百人。一辆辆豪车鱼贯而入，停车场满了，只好停酒店门口路边上。车里后排走出来的大小老板，一个比一个有派头，西装革履，皮鞋光亮，趾高气扬。郭伟东要的就是这个气势，这个排场。

倒是季会长低调，黑夹克，白衬衫，这是公务员官员的常规装扮。

众老板见会长驾到，纷纷上前握手。有一年轻小伙子上前打趣说，会长，老帅老帅了。

会长假装怒气冲冲，我是帅，不是老帅。

引得大家哈哈大笑。

要说泡妞，你不一定泡得过我。

又是一阵大笑。

那晚的气氛，比宴请官员那晚还好。企业家和官员都一样，需要互相认识，互相帮衬，互相给面子，资源共享，共创未来。官员说话有时候需要隐晦、克制，企业家完全是无拘无束。

兄弟，有钱大家一起赚。干！

干，有钱一起赚，有妞一起泡！

碰杯声交错四起。现在都流行喝红酒，在这种场合下，巨大的酒杯，轻轻一撞，撞出的不是优雅，而是豪迈。

向会长敬酒。

会长笑容永不变，说，我刚才趁着上厕所的时候，出去走了一圈，对面几家酒楼、酒店，都黯然失色，你还是镇住了他们。

郭伟东先干为敬。

会长仰脖喝完后，又说，啥都别说了，据梧，哈哈哈，下次你要参加我们的活动，兄弟们很好玩的，有钱大家一起赚，有妞你们泡，我泡不动了，哈哈哈。

南国苑事件，在盛大的排场中，结束了。元气迅速恢复，生意火苗一样往上蹿。头一个礼拜，老于每天晚上都把当晚的营业数字发过来，看到第八天，郭伟东回了一句话：这一页，翻过去了。

新的一页，打开了。

如果没有南国苑事件，郭伟东不会打开这新的一页。南国苑事件，让郭伟东乘着习习晨风，走下山来，进入熙攘闹市，滚滚红尘，见旧友，识新朋。老田、会长，还有那个大低胸的湛湛、鼓呼呼的明明，还有名片上印着各色总经理、董事长的商会副会长、常务副会长、理事、常务理事、会员……看他们谈起生意来，眉飞色舞，红光满面，仿佛一伸手，抓一把空气，再打开，就是一沓钞票。听他们谈起女人，妙趣横生，回味无穷，就像活在西游记里，故事一开讲，就是女儿国。

这多么熟悉而陌生的情景啊。

4

生意上的朋友，不来往则已，一来往，就像正负极接上了电，源源不断的交流就来了。当然，每次交流不一定是要谈生意。现代人都知道一句话，先交朋友，再谈生意。更何况，这些人都是有了一定家业的人，少说千万，多则数亿，谈不成哪单生意也不会饿死。

新井商会每月一期的会员联谊会到了。就是会长不发短信来邀请，郭伟东也必须是要去的。滴水之恩，涌泉相报，这是郭伟东在生意场上的一个做人准则。

这次联谊会去的是省内的一个温泉度假村，整整一个周末，两天两夜。老板们的时间都金贵得很，郭伟东以为这次活动，应该没多少人。可到了商会楼下，一看，三台豪华大巴稳稳停在楼下，一二三编着号。走上车，车里近乎满座。

郭伟东和商会办公室的主任小丁坐在一起。小丁一张娃娃脸，玉树临风，仔细一问，方知也快过四十了。小丁早期是会长的司机，因为态度和蔼、手脚勤快、懂得随机应变，后来当了主任，安排商会大小活动。小丁说，这次来了八十多个老板，不算多，主要是因为圣诞快到了，很多做礼品出口的老板正忙着发货。

会长也坐在这台大巴上，坐在最前头。有他在，总是最热闹，难怪车上一个空座都没落下。会长等车一开稳，就抢过导游小姐的麦克风，导游小姐，你不用跟我们介绍温泉啦，我们这次不是去泡温泉，我们是去泡妞。

大家哈哈一乐。

导游小姐耍的就是嘴皮子，不让着，说，我们去的可是正规的温泉，泡妞，不行，泡方便面，可以。

那我们就只好泡你啰。会长反扭着身子，面向大家。

大家一阵起哄，会长先泡。

好。会长撩起衣袖，下面，我为我们美丽的导游小姐献歌一首，《掀起你的盖头来》。大家鼓掌。

大家打着拍子，和着会长四处走调的歌声，一片欢腾。

小丁告诉郭伟东，新井这个小小商会，为什么能凝聚这么多企业家，市里任何大小捐款，地震、水灾，新井商会是最给力的，搞什么活动，一声令下，大家都到场，从来不拖拖拉拉。这都跟会长的性格有关，开朗，为大家着想。上次联谊会拉到你的酒店开，其实最早是定在商会自己办的酒店里，为了给你造排场，硬是在最后一天改了地点。

路途还有点遥远。车行两个小时后，中途下车休息。加油站宽阔的停车场上，站满了一个个身家不菲的老板、企业家。大部分是男的，但也有女同志，大约七八个吧。有的见过，有的没见过。这些男男女女，大部分和自己一样，四十出头，年纪最大的估计也就是会长了。会长多少岁？六十几？也有年轻的，看那潮到爆的发型，三十出头吧。做什么生意，年纪轻轻，就做到这个份儿上了？

郭伟东免不了一阵猜测。

老板们三人一群，五人一堆，脸色松弛，或蹲或站，或叼着烟，或吐着口水，一看就是老熟人。

会长招呼郭伟东过去，并向周围的几个老板介绍郭伟东的情况。郭总，我们南国苑酒店的老板，全深圳，就他的鲍鱼、鱼翅卖得最贵，为什么，人家是文化人，会写小说呢。

这个介绍让郭伟东有点难为情，只好尴尬地笑笑。

围在会长周围的几个老板，都是车上最爱开玩笑的几个人。其中一个说，文化人，泡妞最厉害，杀人不见血，搞完之后女人还倒贴，崇拜崇拜。

会长说，吴总，我看你也很厉害，今天怎么不带你的妞过来。

这个被称为吴总的人，来了个声东击西，扭头问另外一个人，秦总，会长问你今天怎么不带妞过来。

向会长汇报，妞，正在路上，正在路上，要多少，要不要追加……哈哈哈。秦总搂过会长的肩，笑得很诡异。

老板之间的联谊会，无非就两主题：生意和玩乐。

生意在酒桌上，材料商、经销商、零售、批发、中介服务、包装、推广，任何人都可以发生联系，都互相有需要。近期有合作的，先搞在了一起，谈价钱，谈货源，谈中转，谈分工，谈整合，谈外包。以后要合作，想放长线钓大鱼的，谈政策，谈时局，谈关系，谈资源，谈人脉，谈规划，谈策略。各有所需，忙成一团。

也谈玩乐。新的菜，新的酒，新的牌局，新的赌场，新的高尔夫场，新的出国游，新的艳遇，新的美女，新的玩法。有很多人谈着谈着，就实践了起来，走，三缺一；走，斗地主；走，开大小。

也有人对赌博不感兴趣的。老板中，能做起来的，应该有一半人都不爱好这个。郭伟东就不爱这个。对于赌博，谈不上有多警觉，有多纯洁，而是天生不爱这个，抓起牌，看着那些麻麻点点，头先大了。天生免疫，无关情操。

不感兴趣的人分头散去，回房。

三人共一栋两层别墅。楼下是客厅，附带一间房。楼上有两间房，带露台。一楼后门推开，是个小院子，小院子中央镶着一池温泉。

巧的是，半路认识的吴总、秦总和郭伟东分在一栋别墅里。

吴总、秦总、郭伟东都不爱打牌，摇头晃动，聚在了沙发上。

听口音，两人都是广东人。不知是坐车坐累了，还是酒喝得有点多，两人瘫在沙发上，先是嘟嘟囔囔，骂骂咧咧，然后瞬间鼾声四起，口水直流，死猪一般。

嗬，能吃能睡，好厉害。

郭伟东没沾酒，也懒得上楼，直接把一楼的客房占了。开了会儿电视，觉得无趣，裹了个浴巾，路过客厅，跳进了温泉池。

吴总、秦总，睡得快，醒得快。郭伟东就这么一经过，他们醒了。脱光身子，扯了个毛巾，他们也跟着进了温泉池。

三个老男人赤裸相见，倒没有啥不妥。热气升腾，硫黄味重。温泉把人泡得松弛而懒散。隔着白气，三个人各占一角，闲聊起来。

郭总，接下来有啥节目？吴总问。

听吴总安排，呵呵呵。郭伟东应着。

听我安排个屁。吴总说。

就是安排个屁啊，哈哈哈。秦总接话，不要错失良机啊，这么浪漫的地方，老婆又不在。

没出息。吴总用温泉洗了把脸，老婆在，一样搞。是不是，郭总？

郭伟东呵呵不答。

就在这时，温泉池边上嘟嘟响起音乐声，配合旋律变化，还有一盏小红灯闪啊闪的。有个女声传出来，先生，我是桑拿部长，先生，需要服务吗？

进来！吴总喊道。喊完，意识到门是反锁的，立马跳出池子，光屁股跑去开门，然后又缩回温泉里。

一个穿黑西装制服的女子带了一队小姐进来。部长按了一个开关，埋伏在池子边的一圈彩灯亮了，情调一下子出来了。五六个小姐一律穿着学生装，苏格兰小短裙，白上衣，打着小领带。糟糕的是，几个小姐都穿着橡胶拖鞋。

吴总、秦总都没正眼瞧就挥手打发了出去。

穿个拖鞋接客，什么服务！吴总说。

这么偏的鬼地方，还有制服诱惑，已经很与时俱进了。秦总说。

诱惑个鬼。吴总潜在温泉里，突然起身，水哗啦地被扯起来，落下去。兄弟，还是自力更生吧。

吴总、秦总上楼、回房。郭伟东继续泡。

一会儿，吴总打电话的声音出现在露台上。

电话里的吴总，深情款款，声音像挂在栏杆上，酥软得不行。

宝贝，快，等你。

挂掉电话半分钟后，吴总声音又响起。这会儿是董事长的口吻，现在，马上，去接一个人，送到温泉山庄来，她的电话你记下来……

声音像火烧了眉毛，另加滚水烫伤了脚背。

一会儿，秦总也从房里走出来，把头伸在露台外，喊郭伟东上去喝茶。

自觉没事，也不好失礼，郭伟东换了个睡衣上去。

上等好茶，陈年普洱。

想不到秦总自己还带茶叶上山，够讲究啊！郭伟东握着茶饼。云南古镇易武普洱，千年古树采摘下来，一小饼不要一万也得八千。

到了这个岁数要讲究了，不瞒你说，毛巾、浴巾、牙刷、杯子、厕所纸巾、拖鞋、床单、被单，我都自己带，到再高档的酒店都不行，必须用自己的。

秦总指了指床下一个大行李箱，半边拉链拉开，鼓鼓翘翘的。

没见过你这么麻烦的人，我就不讲究了。这么多年打打杀杀都过来了，该来的就让它来吧，怕个屌。吴总说。

就是怕个屌啊。谁知道这些酒店干不干净，染上病那就完蛋了。

秦总说得有道理，你看那些小姐，妈的，穿个拖鞋，踩着水，吧嗒吧嗒的，什么素质。郭伟东接了一句。

三个老男人聊了起来。一聊，大家情况都大同小异，年纪相当，正规大学没读过，苦哈哈的穷苦家庭出生，二十郎当岁闯深圳，住十元店，吃最便宜的快餐，被人看不起，扫地出门，凭着一点点手艺或者一个小机会，白手起家，白天躲工商城管，晚上害怕客户跑掉，家业一点一点积攒起来，开厂开公司，求人送礼搞关系，跌倒，爬起，雪球越滚越大，最后变成大老板，奔驰、宝马、大房子，孩子送出国，要什么给什么。以前是四处求人，现在是四处躲人。八竿子打不着的人都露面了。喊你赞助希望工程的，喊你担任各种评委的，送你私人游艇会籍的，送你MBA精品课程的，让你当经济顾问的，让你当政协委员的。什么都有，只要给赞助、给产品、给订单、给生意。

你老婆在哪里？吴总突然问郭伟东。

离了。郭伟东实话实说。

离了好啊！吴总一个巴掌冲郭伟东的大腿拍下来，那力道之大，证实了吴总最早确实是在山上打过石头的。

你们两人呢，什么情况？郭伟东问。

秦总的老婆，五年前就陪儿子去了加拿大。一儿一女，在国外都没有继承秦家祖传的酿酒手艺，反而两个人都弹得一手好钢琴，大儿子刚刚拿了个国际大奖。守着有出息的孩子，老婆全身心扑了上去，又是保姆，又是经纪人。秦总不打电话到加拿大，老婆绝对不会打电话回来。

吴总的女儿，四年前去的澳洲。老婆在澳洲待了半年就回国了。原因一个是不习惯，另外一个是和女儿合不来，管得太严，母女老吵架。老婆回来后，死性不改，把对女儿的严格管理转移到丈夫身上。最早开厂时，老婆就是以严格管理出名的，员工私下里叫她"铁面包婆"。老婆姓包。严格管理对工厂有用，但用到女儿、丈夫身上，就起反作用了。老婆在澳洲和女儿吵，回到国内和丈夫吵。

压迫越大，反抗越大，他妈的，这话谁说的，真是说得经典。吴总谈到自己的处境，一脸的悲壮，天天都要斗智斗勇，今天上演《无间道》，明天上演《潜伏》。

小心你老婆请私人侦探。秦总换了一泡茶叶，斜着眼看着吴总。

完全有可能。郭伟东觉得吴总就是当年的自己，当年前妻岳月红不请过私家侦探跟踪他吗？

那我就反侦探。妈的，有时候真的想找个小靓仔去勾引我老婆，然后被我捉奸在床，扯平了，天下太平了。吴总说得咬牙切齿。郭伟东和秦总并不觉得惊讶，呵呵一笑。

秦总说，你这点小伎俩算个屁，我那天在一个报纸上看一篇文章说，夫妻之间，每个人都有过想要杀死对方的念头，这个念头还不是一次两次哦，是上百次。

这个说法，倒让吴总吃了一惊。吴总说，杀死倒不至于，就是烦啊。天下男人哪个不喜欢乱搞，老夫老妻一张床睡了几十年，搞来搞去就那几个动作，还要搞，没人性！谁他妈定的结婚制度！你们俩，一个老婆在十万八千里外，一个离了，你们不了解我的痛苦，要命啊。

秦总的手机滴滴响了。秦总去床头拿手机的时候，吴总的手机又响了。郭伟东一看手机，三个老男人居然胡吹海聊了三个小时。

吴总、秦总同时收了手机，面露悦色。

他们的女人到了。

连夜，司机把女人送到了。

5

两个女人，出现在三个老男人的面前。还有两个小伙子，穿着整洁，看上去很精干的样子。小伙子问了声，老板好，然后就退了出去。

两个姿色绝对上上等的女人。

其中一个的着装，居然和刚才推门进来的小姐一个款，但任何事重在细节，看衣服穿在谁身上。两根白葱一样的腿，在苏格兰短裙的"遮掩"下，更白更长更美。腿下是一双细跟黑色高跟鞋，把小腿衬得更直更修长。上衣是白衬衣，倒没有那半截小领带，两坨鼓胀的肉把文胸的颜色、花纹顶得一览无余。一头茂盛的鬈发，让你分不清，她是要搞成学生妹的型，还是成熟白领的味道。

这是秦总的菜。

另外一个的打扮则直截了当些，一袭已经拖地的宝蓝色长裙，手里盈盈握着一个闪亮闪亮的包，像是刚参加一场盛大的红毯走秀刚回来。晚礼服总是这样，一方面浪费大片大片的布料，包裹着、摇曳着，另外一方面，又在前胸后背处做咨啬状，大露背，高低胸。优雅中有性感，性感中有优雅。

这是吴总的爱。

这是娜娜。秦总介绍。

这是冰冰。吴总介绍。

娜娜。冰冰。冰冰。娜娜。郭伟东发现，游戏场上的女人永远都是这些名字，还有芳芳、婷婷、玲玲、萍萍，等等。

收回小差，郭伟东起身告辞，不打扰人家的好戏。

可吴总、秦总却死活不让郭伟东走。

走走走，K歌去。吴总拉住郭伟东。

就是嘛，一起去玩玩，早着呢。两个女人上来帮腔，秦总的娜娜居然手舞足蹈，我刚学会了一首歌，唱给郭总听。

午夜十二点，度假村的夜总会正是火爆的时候。进进出出的人，不少居然披着浴袍，有的女人呼啦啦地跑，头发甩出温泉水。

开最大的房，要最贵的酒。见到如此阔绰的老板，黑西装部长风骚得很，当着冰冰的面和吴总发嗲、撒娇。吴总没多大兴趣，却不忘抓了一把部长的屁股，又说，把最漂亮的小姐都带进来。

一队小姐进来，郭伟东才意识到，吴总要给他安排小姐。郭伟东突然觉得，大大咧咧的吴总是个很讲义气的人，粗中有细，令人感动。难怪他的生意做这么大。

进了这种地方，就不好拒绝。拒绝，会让吴总觉得你郭伟东故意在我面前装清高、分层次。无论官人、商人，进了包房，大家都是来玩的人。至于真玩、假玩，那是你的事。但你不能不玩。你一个人不玩，大家都跟着你不玩，你就是汤里的老鼠屎。这是江湖规矩。

郭伟东当然懂。

秦总在一边帮参考，哇哇哇，全是美女，一个比一个有味道。

吴总凑过来，郭总，你可以选两个啊，只要你愿意，包下来也没问题，今晚我请客。

夜总会的姑娘就是夜总会的姑娘，比敲门陪洗温泉的小姐高了不知道多少个档次。

郭伟东一眼就看中了一个姑娘。这姑娘分明就是他当年的初恋情人、班花邱菊嘛。那高高束起的马尾巴，高高的额头，坐下来一看，嘴角还有一个小痣。这张脸让郭伟东分了神，有点时光倒流的味道。可一全身打量这姑娘，郭伟东脑子瞬间僵化，啥也想不起来了。

姑娘穿的完全是一身透视装。坐近了，透视装里的黑文胸、黑内裤一目了然。

年轻时的邱菊可不是这样。

三男三女，阴阳平衡。

平衡了，才算开玩。八仙过海，各玩各的。爱怎么嗨怎么嗨，想怎么搞怎么搞。

吴总是个跑调大王，唱来唱去就那几首歌，《小白杨》《天堂》《爱拼才会赢》《心雨》。但他唱得很投入，喜欢说话，每首歌都说这首歌送给谁谁谁，希望大家喜欢。

秦总唱歌水平显然接近专业。什么歌都会唱，调子还特别高。但他喜欢搂着女人唱歌，上下其手，几次把手伸进娜娜的短裙里。娜娜像块牛皮糖，萎在秦总的瘦身子上，脸还贴着脸，甜蜜状。奇了怪，这种情况，秦总的歌声还如此精准、悠扬，真是不服不行。

秦总唱歌的时候，吴总就跳舞，女神打扮的冰冰，像只小鸟，任主人戏逗。

吴总唱歌的时候，秦总就躺沙发上，水蜜桃一样的娜娜，像只小兔，共缠绵互搅和。

"透视装"看郭伟东对自己兴趣不大，倒也识趣，自顾自玩起手机来，偶尔点一两首歌，自娱自乐。

郭伟东上了趟厕所。居然在厕所里碰到了老田。

老田没跟郭伟东一台大巴，晚上吃饭时看他正和一个老板聊得火热，因此郭伟东也没有过去和他打招呼。

老田问郭伟东在哪个房玩。郭伟东说和吴总、秦总玩。老田说，可以啊，这两个人都是老屁股老江湖，现在正在联手玩旧城改造的项目。

郭伟东问老田在哪个房玩，闷得很，过去和你聊聊天。

老田把郭伟东带到一个包房。

酒瓶遍地。

人声鼎沸。

二三十个人围在一起，不用看，男女对半。老田一进来，他的女人就粘了上来。女人全是透视装，薄纱之内，肉花花。

他们正要开始玩脱衣游戏。男人坐一排，自己的女人坐对面。一二三，开始，石头剪刀布，输了，脱，再来，石头剪刀布，输了，脱。

　　落单的郭伟东像个观众，不到十分钟，看着一个个男人脱掉了衣服、裤子，一个个女人扯掉了胸罩、三角裤。

　　又过五分钟，有的女人的透视装脱掉了，一丝不挂。继续，石头剪刀布，输了，高跟鞋，脱掉，脱掉。

　　男人也不能幸免。

　　老田就是阵亡名单上的人，皮鞋脱掉，袜子脱掉，一丝不挂，真正的一丝不挂。

　　大家哈哈哈大笑。

　　没有谁觉得羞耻。

　　没有谁觉得不妥。

　　郭伟东也哈哈大笑。

　　因为只有自己穿戴整齐，成了人群中的怪人、小丑。

　　不知道谁喊了一声，给郭总叫个小姐，要他脱。

　　郭伟东鞋底一滑，赶紧逃回了吴总、秦总的包房。

　　四人已经滚到一起了，分不清冰冰是吴总的还是秦总的，娜娜是秦总的还是吴总的。

　　自己点的那个姑娘正在不慌不忙地唱一首老情歌：《一帘幽梦》。

　　郭伟东退了出来，到厕所里洗把脸准备回房间。

　　想不到又在厕所里碰到老田。

　　老田笑嘻嘻地说，你的女人呢？搞完啦？

　　郭伟东说，没叫。

　　没叫？装崇高？来了就玩玩嘛，四十多岁，这个年纪不玩何时玩？六十岁想玩都玩不动了。老田看不出有什么醉意，清醒得很。

你看你又不抽烟，酒也不爱，从来没见过你打牌赌钱，活得有啥意思，都这个岁数了。老田说得一本正经，又离婚了，孩子又在国外，生意做得顺风顺水，天下就是你的，不玩，对不起自己。老田教育起郭伟东来，来来来，我再带你看个好看的。

郭伟东被老田在背后推着，上楼，上楼，再上楼。左拐，右拐，再右拐。一个名叫"贵妃红"的包房。

老田拉住郭伟东，别推门，从小玻璃望一眼。

郭伟东望了一眼，全明白了。

有"鸭子"扑腾。

男色服务。

再望一眼。老田低声道，有新发现吗？

郭伟东摇头。

老田等两人走下楼后才说，那几个女人都是新井商会的老板，没跟你一台车，你不知道。

你看，谁不在玩！这世界就这样。老田一个转弯，又闪进了包房。

包房里的尖叫声，被门缝一夹，更刺耳了。

6

郭伟东总觉得这样不对。

人到四十，有家有业，少说几千万，多则几个亿十几个亿，不愁吃穿，社会地位大小都有一点，有人捧着有人敬着，大事小事一个电话全部搞定，这不挺好？为什么一定要搞女人？为什么所有的业余时间全花在女人身上？

郭伟东总觉得人应该不是这样的。

尽管自己就曾经是这样。

但郭伟东又觉得没有什么不对。

就像老田说的，全世界都这样。这个全世界，是真的全世界，全地球，全人类。郭伟东甚至想，外星人的社会如果也是这种结构，有政府，有军队，有商店，有田地，有工厂，有歌舞厅，一定也是这样子。

全世界都这样，有什么不对呢？

花的钱是自己的，不是偷的抢的。给女人买的礼物，是自己愿意的，不是别人诓的骗的。有什么不对呢？

但还是不对。郭伟东躺在黑暗中琢磨着。郭伟东思考重大问题时，一定要置身于黑暗中。而这个城市永远都是不夜城，哪怕就是深夜三点、四点，窗外都是车流不断，远方的高楼依旧霓虹闪烁，流光溢彩。必须要拉上厚重的窗帘，边角还要折好，关上所有的电源、电器，房间才能黑下来。

不对在哪里？郭伟东答不出来。

到这里，有必要说说郭伟东的过去。

郭伟东也是玩过的人，玩大过的人。

郭伟东，高中毕业，当了兵，凭着一手好文章，经常在刊物上发表小说，提了干，然后转业，别人都到公检法，他一个人转到国有企业，两年后单干，发了家。

四十四岁生日这一天，郭伟东离婚了。离婚之后，郭伟东有一个理想，那就是重新找到爱的感觉、浪漫的感觉。因为他觉得他和前妻，岳月红，一个小镇姑娘，根本就没有谈过恋爱，完全是因为当时没朋友、性苦闷，蒙查查听人介绍做媒，领到深圳，然后一次就搞大了肚子。当时人还在部队里，不得已打了申请，结了婚。本想婚后培养感情，然而前妻却一次次让他失望，一开始是四处做生意，处处亏本，拿着几十万打水漂不算，还四处打着他的名声要东山再起，证明自己还能翻本，结果钱没丢，脸倒是丢光了。婚姻就这么结束了。

好了，郭伟东开玩了。怀着"需找爱的感觉、浪漫的感觉"的郭伟东，四处出击，各种类型的女人都追，都上。追不到？钱砸过去，砸砸砸，LV包一买买十个，备着。没有追不到的。

有知性的高级白领，有干练的女老板，有新奇大胆的新新人类，有二十年多不见的中学班花，有模特，有电视台记者，甚至还有女警察。到手、上床，然后一个礼拜下来，不是这个不合适，就是那个不喜欢。拜拜拜拜。

追到最后，一个打工妹。郭伟东觉得只有打工妹适合自己。郭伟东觉得自己就是一个打工仔。可是还是不行，打工妹一开口提钱，郭伟东就跑了。

一个差点要了命的车祸，让郭伟东冷静下来。郭伟东意识到，哦，自己追到这么多女孩子，为什么都不合适，原来自己只是希望通过她们找回年轻的感觉。郭伟东明白，他找的不是女孩，而是失去的青春、没拥有过的浪漫和所谓的爱情。

深圳香火最旺的弘法寺的方丈一次在报纸上写文章，被正在医院里疗养的郭伟东读到了。突然间，郭伟东觉得自己心开了，被一大片暖洋洋的阳光照着，好舒服。

郭伟东就这样信了佛，深信，上了山，离佛最近，做最虔诚的居士。

取名"了尘"，了结红尘，再也不搞了。

如果不是南国苑出事，郭伟东不会下山。

不知哪里来的勇气和信念，郭伟东觉得自己应该做点什么。自己应该做一回英雄，当一回拯救者。想起十年前，儿子还没出国，天天缠着自己要买一套"超人"服装。那个时候，郭伟东忙得屁股冒烟，哪有时间上商场买那怪里怪气的衣服。后来，儿子出国了，假期打工赚来的第一笔钱，就花在了"超人"身上。视频的时候，儿子一身蓝红，还有披风，滑稽如小丑。郭伟东问，为什么喜欢超人？

儿子说，超人代表英雄，他可以拯救世界。美国人都有英雄情结，没有人认为自己是凡人一个。

郭伟东觉得自己也要做一回超人。拯救不了世界，但要拯救身边的人。

但翻身一想，郭伟东又觉得滑稽。

英雄？

拯救？

怎么拯救？

你又不是超人，连超人的披风都没有。

可笑。

可笑极了。

有什么可笑的。

7

老田来了电话，说自己就在南国苑"粤悦"包房里，速来，哥俩好久没聊正事了。

推开门，只有老田一个人，正在无聊地按着电视遥控器。

老田转给郭伟东一杯茶。他素来喜欢开门见山，说，你可能不知道你那天在一起玩的吴总、秦总的背景。他们是新井商会的常务副会长，这名头你都知道啦，肯定是有料之人。别看他们嘻嘻哈哈，没个正经。他们正在运作旧城改造的项目。偏对偏，你南国苑酒店所在的这片中心老城区，就在他们的改造之内。不知道你这个酒店的租赁合同何时到期？你要考虑这个问题。

这是个大事。郭伟东心头紧了一下，多亏了老田的提醒。真不愧是多年的至交老友。

这栋楼的租期，年底到期。一签签了十年，今年是第十年。郭伟东说，他们会怎么改造？

他们怎么改造，那就不知道了，现在最流行的方式是LOFT创意园的模式。估计他们也会效仿。现在也只有文化产业还有得忽悠。老田说。

郭伟东觉得老田的估计，应该不会差到哪儿去。这意味着，南国苑周围这一大片旧房子，全部清空，改头换面，租给创意企业，设计啦、动漫啦、广告啦、媒体啦，到时候还有没有酒店这一块？即使有酒店，会不会留下南国苑这种传统酒店、传统酒楼？会不会招来一些精品酒店、西式餐饮取代南国苑、"粤悦"酒楼？这一切，不是没可能。

你要提早和吴总谈，不要到时候人家宣布方案了才急得跳墙。老田提醒道。

好。郭伟东应道。情报得到了，接下来就是运作，至于成不成，谋事在人，成事在天。即使不成，福兮祸之所伏，祸兮福之所倚，无所谓了，放轻松。

不知从何时起，放轻松，三个字，成了郭伟东的镇静法宝。

佛经没有这三个字。

是上次车祸住院时，护士经常这么说，放轻松。

正事聊完，郭伟东让部长安排了一煲、一汤、一鱼、一青菜。还有妹妹来吗？郭伟东问。

有！光咱两个老男人，多没意思。老田拿起桌子上的手机，拇指运动起来，发出了一条短信。

还是那个湛湛吗？

早换了，是个模特，参加过亚洲名模大赛，拿过奖。全名我一下子不记得了，可以上网搜，查得到的。老田摸着自己的肚子说。

兄弟，我今天跟你说的话，你可能不高兴，但我还是想说，因为你我交往多年，我们都是一步步看着对方起来的人。大家都白手起家，不容易。不说出来，我心里过意不去。郭伟东说得自己都感觉有点绕。

老田被搞蒙了，啥意思，说主题。

主题就是别搞女人了。我刚才说了，我们都是白手起家，不容易。我也是玩女人玩成今年这样子，孩子出国了，回到家，孤单一人，倒不是说后悔离婚了，是觉得自己很失败。你玩过，我也玩过，玩来玩去就那两下子，我总觉得这样下去会出事。

老田歪着的身子，一下子跳了起来，兄弟，你今天不正常啊。

每个人听起来都会觉得我说的很怪，是屁话，神经病，但我说的一定不会错。玩下去，肯定会出事，而且是大事，性命大事。

出什么事，不都是逢场作戏嘛，你情我愿的事，又不犯法。要出事，也是出钱的事，钱玩没了。可是这点小钱，对我们算什么？毛毛雨。老田说。

总有一天会投入情感，总有一次是假戏真做。量变会引起质变。到那个时候，要脱身就来不及了。

会吗？不会。老田自问自答，你不会是还没从车祸的阴影里走出来吧？

这是一场不对称的辩论。一个是理所当然，一个是异军突起。老田是理所当然，郭伟东是异军突起。

我说的是我自己的切身体会。再一点，现在的女人，也不是你我想象的那么简单，更不像十年前那么单纯。

这个，你说的倒是，我同意。手机响了，短信的声音，老田没看。

再一点，我们都到这个岁数了，身体往下走了，天天混夜总会酒吧，啤酒、洋酒、白酒，又贵，又假，很伤身子的，你看你那肚子，比怀了十个月的孕妇还大。里面全是脂肪肝，油唧唧的。身体比女人重要，比什么都重要，兄弟。

老田摸摸肚子，重复了上一句话，这个，你说的倒是，我同意。

老田打开短信，边回边说，你的话很对，是值得反思一下了，但是今天无论如何，还是让这个女人过来吧，短信都发出去了。

好。郭伟东让部长多加了一份汤，又多点了一个铁板烧。

五分钟后，有人敲门。模特进来，落座。是一个美丽诱人的尤物。

丰乳肥臀。

矜持而妩媚。

老田看不出有什么不自在。

倒是郭伟东觉得自己很尴尬。

8

郭伟东约了吴总。电话一接通，吴总就哇哇大叫起来，兄弟，你文化人看不起我们老大粗，上次唱歌，你上个厕所就没再回来，搞得你的女人还要我抱回去，哈哈哈，不够意思啊。在哪里？今晚出来喝两杯。

郭伟东约吴总到南国苑，这样有个好处，不用抢着买单，自然是郭伟东请客。生意场上，无论是求人还是被人求，能自己买单自己买单，无论单是一万还是一百，这方显大度。

吴总单刀赴会。似乎早预料到郭伟东此次约请的目的，没等郭伟东开口，吴总自己鞭炮似的炸开了。

我和上次我们住一起的秦总运作了一个项目，就是你这片的旧城改造，所有的楼房外观，包括楼顶，我们都要装修改造，楼顶要种植草皮，节能减排，搞循环经济。改造之后主要是做动漫影视城，哈哈，生意做了几十年，我们也要沾沾文气，搞搞文化产业。政府很支持，说这是下一个五年计划的重中之重，还有补贴。

郭伟东正要开口问南国苑的命运，吴总摆摆手，你听我说完，我们考虑过了，南国苑酒店，尤其是"粤悦"酒楼，很出名，鲍鱼、鱼翅卖得最贵，还要抢着订位，我们不会随便舍弃这个牌子的，住宿部分，我想也是需要的，至于到时候酒店的风格要不要转成经济型的，到时候再看股东会怎么论证吧。时间还有两三个月嘛。即使要改风格，你们还是优先租赁、经营的，这是没得说的，所以我觉得问题不大。

郭伟东听得出，南国苑生存问题不大，变可能是少不了的，就看变多大。

感谢吴总。郭伟东按动服务钮，准备点菜。

客气啥，都是好兄弟，我那天整理名片才发现，你不单跟我老婆是老乡，连手机号码都很像，前八位都一样，后三位，你是555，她是888，以后打你电话得小心，别一不小心打到我老婆那里去了，哈哈哈。吴总举起电话，表情神秘，正事谈完，接下来给你看看我的新女朋友。

吴总站起来，走到落地玻璃窗前，一手撩开窗帘，叉着手，看着脚下的街道、人群、车流。黄昏降至。人人都赶着路，互不相让，乱作一团。

电话打出去，嗯嗯啊啊。

郭伟东一眼就认出了，来人是一位演员。

这个演员有一部新电影近期上映过。这两年，郭伟东喜欢上了看电影。因为自家楼下就是一个电影院。甭管电影好坏，都看。沉浸在黑暗中，一个半小时，可以让人彻底放松。那是属于一个人的九十分钟。

这个女人在电影里演女一号。电影讲一个民国女子在战争中寻找爱情的故事。民国女子在教会办的私立大学里，喜欢上了一位哲学教授，迷得不行，只听教授一人的课。教授的妻子，在湖北一个小城，发病，长期住院，教授离开北京，到了小城的三流大学。女子跟了过去，教授与这名忠实粉丝红杏出墙。后来戏讲到抗日战争爆发，两人如何走上保家卫国之革命道路，并在革命中因信仰问题关系决裂、互相伤害……这个电影的关注度应该是不高，因为电影上映两天就撤了下来，郭伟东那天看的是十点半早场，也是最后一场。太多的细节不记得了，但郭伟东对电影开始部分，女学生每次都站着听教授讲课那几个镜头印象很深，镜头里有一双清澈的眼睛，水汪汪的，定定的，一往情深，又斩钉截铁。

吴总很骄傲地看了郭伟东半分钟，然后才出声介绍，著名青年演员白兰，一线明星。你现在就上网搜索一下，白兰，"白兰花"前面那两个字，有她的资料，她主演的电影正在热播。

眼前的电影明星，不如荧幕上的民国女子。等她再一开口，一线演员还不如老田的那个模特。

女明星一点矜持都没有，看着电视上的八卦新闻，一会儿呀一句，一会儿哇一声，像只从铁笼里逃出来的小鸟。呀，这款包又出新款了，哇，太漂亮了，呜，我这个不到一个月就成老款了。

郭伟东很烦这个。心想，吴总也一定很烦这样。

但看不出吴总有什么波澜，一手搭在女演员的腿上，一手跟着呀呀地叫，哇哇地喊，是蛮漂亮，是蛮漂亮，给你买一个。

不要啦，贵得没谱。女演员回了一句，眼睛却没离开电视。

郭伟东趁机出去接了个电话，心里骂了一句，妈的，好不容易零距离见了个活的电影演员，没想到这么倒胃口。

一个星期后，再一次约了吴总。想早一点了解到他们旧城改造的进展，这事关南国苑的去留，马虎不得。

这次地点是在花岭高尔夫。

大晚上的，肯定不是打高尔夫。很快，郭伟东反应过来，花岭高尔夫前不久放出了一批小别墅。这批小别墅框架已经建好几年了，突然碰上了金融危机，没想到危机又一危好几年，开发商继续开发也不是，丢弃更不是，只好一直囤着，结果大股东出事了。再不建，早已发大了的高尔夫老板要收购回去，当然是白菜价。几个中小股东硬撑着，找来后续资金，把别墅给盖起来了。原来的独栋户型，改成两家合一栋，单价下去了。为了节约广告费，项目没有公开发售，只在内部邀请了几百个老板过来"鉴赏"，给出的价格很实在，近乎成本价。郭伟东也收到过请柬，但没去。据说，因为价格实在太诱人，别墅当天就被抢光。

果然是吴总的新家。

郭伟东早有准备，带了一份不重，但也绝对不轻的上门礼：波尔多塔牌红酒。

都是生意人，吴总接过红酒，转身就说，南国苑的事，现在可以告诉你，继续保留，保留你们的粤式风格、高档路线。创意文化也需要高档消费的嘛。但是我们会引进一些中档的、快捷式的餐饮，这应该不会对你们产生影响。

听到能保留，郭伟东心开了。能留下就是胜利。毕竟南国苑和"粤悦"在深圳的名气早打出去了，口碑是有的。现在周边的居民区变成写字楼，这只会给酒店带来增量。那些中档餐饮完全不会构成竞争威胁。

一分钟，就把涉及三四百个员工、一年营业额近亿的大事给敲定了。

在吴总到阳台上接电话之际，郭伟东环顾了客厅一圈。客厅很大，但东西不算多。淡粉色墙纸，蕾丝布艺沙发，仿古拨盘电话，乳白色钢琴。

郭伟东对回到沙发上的吴总说，你这个装修很女性化啊。

怪不得会长老跟我说，你是文化人中的商人，商人中的文化人，眼光就是毒。吴总凑过头来，放低声音，我这是给老二买的。

哪个老二啊？郭伟东当然知道"老二"是什么意思。

你见过的。

那个演员？郭伟东要确认一下。

是啊。吴总喝了一口茶。

吴总动真格了？

是啊，妈的，这次有点麻烦，被狐狸精迷上了。麻烦了。吴总说的话一直低声着，有点小忧愁小伤感的味道。突然变了个人似的。

迷她哪里啊？哈哈哈。郭伟东想打破这低沉的气氛。

还不是看了她演的那个鬼民国电影。这个电影是一个朋友公司投资的，首映式放在深圳。朋友请过去参加仪式，结果一眼就看上了她。她那天穿着民国女学生的蓝色旗袍，头发是齐耳的那种学生头，妈的，杀了这么多年，什么女人没搞过，偏偏就漏下了她这款。酒会时，她弯弯腰和我握手，手一握，我就软掉了。当时就等不及了。一个小时候后，晚宴跑过去敬酒，心扑扑跳，偷偷要了人家电话，然后一来二往，一趟香港，一趟澳门，搞定了。

我实话实说啊，这条女会不会是你那个投资的朋友的啊？郭伟东问出来，发现有点失态，但说出来也无妨，因为这是他和吴总共处一室，这么直爽地说出来，会让吴总觉得自己把他当兄弟看，而不仅仅是来办事或者看热闹。

我有考虑过这个问题。我也知道，现在都流行投资拍电影包女人。但我后来发现，我约了她这么多次，她从没提起我那个朋友。我那个朋友好像也从来没有暗示什么。我想应该没事。

那应该没事。郭伟东附和着。

吴总带郭伟东看二楼的一个房间。那摆设，完全是一个舞蹈练功房。空无一物，一面墙上装着镜子，镜子前是一根黄色的原木横杠，镜子对面是落地玻璃窗，看出去是一个小湖。湖边有高高的棕榈树。落地窗墙边是一截软包条凳。凳子下有两双舞鞋，一红一白。

楼下的钢琴、这间舞蹈练功房，都是我为她准备的。我想看到一个女人在我面前，掀开钢琴盖，手落在琴键上，轻轻一按，美妙的音乐响起。我还想看到，一个女人穿着紧身衣，就像芭蕾舞演员那样，把长长的腿压在木杠上，做各种舒展的动作，那种感觉好极了。我不懂钢琴、芭蕾舞，但进了这个别墅，我可以忘记一切，忘记这个书记那个局长，忘记这个项目那个交易，忘记钱钱钱，进入这个艺术的世界……

吴总描述着他心中的理想国。

郭伟东问，她给你弹琴给你跳舞了吗？

还没有。她每次都说灵感没到，下次再弹，下次再跳。

那你怎么说？

我相信她。没有灵感，应付我，也没意思。

在参观完舞蹈练功房后，郭伟东收到一条老田发过来的短信，很短，就一句话：四十不惑，当找回自己。

郭伟东似乎明白了其中的意思，但还是装傻回了一句：啥意思？

老田回复：不玩了。

老田听劝了？不玩女人了？自己的拯救计划成功了？郭伟东问自己。

下楼回到客厅，既伤感又美好的吴总跟郭伟东探讨起男女关系。但他先让郭伟东谈自己的故事。

郭伟东看得出吴总也是个性情中人，不是那种诡计多端的人，讲讲无妨。郭伟东选择性地讲了几个，如和前妻岳月红的婚姻，和秘书夏荷的暧昧，还有和打工妹小草的车祸。本来还想讲邱菊的故事，但总觉得这一段太龌龊，免了。二十多年后，想尽办法去把少年暗恋的女人搞一次，真的太龌龊。

吴总仰头一笑，哎呀，兄弟，大家的故事都差不多，差不多，你的这些故事，换个名字，也是我的故事，现在唯一不同的是，我搞了个女演员，海报上宣传是一线，我心里清楚，没那么大牌，但至少算准一线吧。

郭伟东把话头一转，但我现在不搞了，我也不是在你面前装文化人，搞来搞去，真的没意思。

那你告诉我什么有意思？

这一问，难住了郭伟东。郭伟东抱起手，回答不上来。

吴总说，人生就是一场梦，做这个梦，做那个梦。年轻时，穷得裤子都没得穿，就梦想自己吃好穿好，能讨老婆；后来做了点小生意，发了点财，就梦想自己能把户口迁到城市里来，能够开上轿车去旅游去兜风；生意做大了，多赚一百万少赚一百万没感觉了，就希望进入高档场所，和这个大官接触，跟那个名人成为朋友。搞女人也是，一开始，偷偷摸摸，三十五十，到发廊里洗头，揩揩油，调戏下小妹就满意了；然后找小姐，一百两百五百一千，三下五除二，一点情调都没有，没意思；然后到夜总会，三千五千出个台包个夜，你花言巧语，小姐比你还花言巧语；然后搞自己的助理、秘书，搞良家妇女，钱是不要，却要你的命，人家要和你谈恋爱啊，一旦闹翻了，一条短信都可以让你心惊肉跳、吃不下饭、睡不安稳，她要再跳个楼割个腕上个电视登个报什么的，你恨不得把家产都给她，玩的就是心跳，刺激，过瘾，但玩不起啊；再现在，找模特、找空姐、找演员，要什么买什么，最高享受了，但自己身体不行了，娱乐场所去不动了，泡了妞回来，也搞不动了，一周一次可以，多一次都不行，但不行也硬着要行啊，那么多钱砸进去了，人家美色当前、年纪轻轻，你不行？她都不干！这时真希望自己回到十八九……但还是停不下来。为什么？有时早上早早醒来，凌晨四五点钟，坐在客厅里，真的不知道接下来要干什么，干什么才有意义，甚至会想，这后半生该如何走完。苦恼的时候，找几个小妹，怀里一抱，摸着，暖烘烘的，啥烦恼也没有了，这是唯一能开心的事了。开心有罪吗？……

郭伟东打断吴总的话，我想说的就是这个，身体，身体最重要，要刹车了，收手吧。说心里话，我已经劝了好几个朋友了，希望你也是。

能收吗？关键。吴总反问。

郭伟东再次无言以对。不是说吴总说错了。恰好，吴总说的是真理。

人活世上不就求一个开心吗？

难道不是吗？

吴总又补了一句，跟着感觉走吧。

9

开心是什么东西？

人活着就是为了开心吗？

人活着一定要开心吗？

感觉是什么东西？

感觉一定正确吗？

离开吴总的美人巢，郭伟东开着车在高尔夫球场里转了一圈。摇下窗，空气带着青草味，起伏不平的草地，像铺着翡翠。宁静极了。郭伟东熄了火，把车停在路边。

想起自己那些在女人身上滚来滚去的年月，一样是两个东西在作怪，那就是吴总说的：开心、感觉。

但是真的开心吗？

感觉真的很对吗？

郭伟东觉得不是这样。

开心的结果是不开心。

感觉的结果是错觉。

开心会害人。

感觉会害人。

人不应该为了开心寻开心。

人不应该跟着感觉走。

至少，不能为了开心找不同女人。

至少，不能跟着感觉走放任自己。

自己的这些总结，对吗？郭伟东问自己。

对吗？

不知道。

但郭伟东想再当一次拯救者。阻止吴总陷入感觉的迷幻中，把他拉出来！他和那个女演员，不会有什么好结果，一定不会，郭伟东敢肯定。

要阻止这场悲剧，要拯救这位讲义气的朋友！

希望他像老田那样有所思，"四十不惑，当找回自己"。

怎么拯救？

再冲进小别墅和吴总长谈？

毫无疑问，这是最蠢的做法。一个正在体验嗑药后的快感的人，你劝他戒毒，他听得进去吗？一脚踹你！

得用外力。外力是谁？当然是吴总的老婆。也只有她才能有资格去打破这个迷局。名正言顺，威力最大。

原配出手，能唤醒当局者吗？

这是一个未知数。当年前妻岳月红动用私家侦探，自己不还一样离婚了吗？

但别无他法。

郭伟东想起吴总说的，自己的手机号码和他老婆的就差三个数，她老婆尾数是888。

仿佛是天意。天意注定自己要做个拯救者，把前方的消息传达给大后方，然后发起总攻，打一场正义的战争，挽回革命果实！

郭伟东希望这场战争，悄悄地打，悄悄地结束，而且不费一枪一弹。

这是最完美的。

郭伟东第二天打通了吴总老婆的电话。白天，人的情绪容易控制，如果头天晚上就打，告诉她，老公在哪里哪里，跟谁谁，女人一定会疯掉的！

电话通了三声，对方接了，你好，哪位？

郭伟东先确认，你好，请问是吴总的太太吗？

对方没正面回答，再次问，你好，你是哪位？

郭伟东把自己的全名，连带公司的名字都报了，并说明了意图。

吴总的老婆语气一直平稳，答应了和郭伟东见面再聊。

不到半个小时，吴总老婆出现在南国苑酒店一楼的咖啡厅里。这是一个略有发福，但样貌还算姣好的女人。郭伟东想象中的吴太太就是这样，雍容华贵，微胖，穿着鲜艳，施粉黛，名牌包，发型一丝不苟，脸色和善。

近乎就是这个样子。

郭伟东开了个小差，当年岳月红是不是也是给人这种印象？忘记了。郭伟东完全想不起来了。

吴总的老婆也姓吴。当年两人在蛇口同一个电子厂打工，吴太太是拉长，吴总是普通打工仔。因为同姓，拉长给予吴总特殊照顾，计件的时候，半成品也算成了成品。这一照顾，感情就出来了，两人谈起了恋爱，开起了小作坊，然后生意滚雪球一样，大到无边无际。

吴太太始终没有闪现出一丝恼怒。相反，问郭伟东，为什么会告诉她这一切？

郭伟东一五一十把自己的婚姻经历告诉了吴太太。

吴太太很快离开了，轻声道谢，无论怎样，都谢谢你，郭老板。

语气、表情，始终如一面湖水，纹丝不颤。

吴太太一离开，郭伟东就后悔了。

或许吴太太根本不在乎这些。多少个家庭，不都这样过着？何况这是一个产业庞大的家庭，一荣俱荣，一伤俱伤，"忍辱负重"这个词，往往都刻在她们的心头上。

但，郭伟东又觉得，婚姻最大的敌人，就是两个"淡"：平淡、冷淡。平淡让婚姻腐朽，冷淡让腐朽加速。

10

没想到，战争打得如此轰动、惨烈。

场面之大。

而且是以另外一种方式。

先是从电视上看到。

郭伟东有看电视新闻的习惯。看两个节目：一个是深圳本地收视率最高的"今日直击",一个是中央台"新闻联播"。前者可以了解深圳的老百姓生活,后者可以知道国家的政策风向和基本的国际时事。两个节目每天必看,即使错过了,也会看重播。

"今日直击"头条新闻,报道的中心不是吴总,但在郭伟东看来,那就是专门为吴总准备的报道!

郭伟东第一时间用手机录下了整个节目:

> 白兰有了新恋情 男方是深圳地产大佬
>
> 近日,有知情者拍到演艺圈新秀白兰在深圳修筑爱巢。男子看起来四十多岁,身材魁梧,当天两人一同驱车进入花岭高尔夫别墅,直到深夜都未见他们其中一人离开。据传,男方是深圳地产大佬,吴姓
>
> ……

再找来几家周刊,花花绿绿的封面上全是白兰和吴总一前一后的照片。照片上,白兰和吴总,刚从车里出来,女的抬腿上台阶,男的半低着头,似乎在掏钥匙。一辆黑色车的车牌,正好出现在照片的左下角。

报刊、电视还好,至少字面上讲的都是白兰。网上则乱了套,吴总也成为主角,有人把吴总名下的几家公司、业务范围、注册资金、开发项目都列了出来。有人则把吴总参加各种活动的照片发到网上,以作对比。天,还有吴总夫妻俩的照片!

郭伟东找到白兰的微博。这个愚蠢的女人居然在微博上辟谣说,照片里的男子不是她男朋友,是她雇佣的司机!

"司机门"成为微博热词,大家纷纷调侃。有人说,吴总是史上身份最显赫的司机。

郭伟东担心有竞争对手伺机作梗，抖出吴总和他公司的一些内幕，比如贿赂、作假等等。摊子这么大，谁敢担保没一点污点。

郭伟东感觉有点收不住的味道。

事情怎么会弄到媒体上？

谁爆的料？

吴太太？

还是其他人？

郭伟东多想了解这一切。但不知从何入手。打电话给吴太太？吴总？

都不妥。

第二天，倒是老田给郭伟东提供了一些信息。

老田主动打电话问，都看到吴总的新闻了吧？老田说，吴总之事搞大了，倒不是说他搞的是女演员，而是有人借机搞事，举报吴总公司有问题，税务、工商几个部门开始行动了。这事搞大了。

郭伟东腾地坐下去，瘫在沙发上。自己担心的事真的发生了。

几个部门要真是动起真格，吴总就悬了。

吴总悬了，郭伟东感觉自己也悬了。这事，自己是谋划者啊！

郭伟东问，搞事的人是谁，知不知道？

老田说，很多人传是秦总。他们俩不是合伙搞旧城改造吗，这个项目进展得都七七八八了，就等着招商数钱了，估计是秦总想趁机搞掉吴总，自己成为大股东。

他妈的！郭伟东骂了一句，挂了电话。这骂的，既有秦总的不仁义，也有自己的鲁莽。把事搞成这样，怎么收拾？无法收拾！

郭伟东，良心上，备受煎熬。

……

第六天。收到一条短信，发信人是新井商会会长季宏达。短信只有三个字：

没保住。

郭伟东恨不得立即打电话过去，但他知道这个时候，他不能显得太上心。不能操之过急。

郭伟东把电话打给了商会办公室主任小丁，晚上请会长过来品茶，无论多晚，他都等。

会长倒没有让郭伟东等到多晚。十点的样子，会长就到了，一件黑色丝绸对襟衫，飘飘然，精神很好的样子。

会长说，他没有大家想象的那么忙，都一把老骨头了，还忙什么忙，说了你都不信，我每天晚上九点要打一个小时的网球，打完就过来了，一身汗出完了，爽。

郭伟东寒暄了一会闲事，就把话题岔到吴总的身上，会长，咱们副会长吴总，怎么样了？

资金冻结，人被拘留待审。怪我能力有限啊，没保住。

这么严重！郭伟东想都没想到。

吴总的福气可能就到这了吧，这是命。跟女人无关。会长点了根雪茄，长长地吐出一口白烟，爱美之心，人皆有之，爱美女之心，人皆也有之，你是文化人，你说是不是？难道演员就不能喜欢？演员也是人嘛，一样一样的。

趁机搞事的人，会是谁呢？郭伟东问。

搞事也是正常的，人为财死，鸟为食亡，几千年的古话了，正常得很。烟雾中，会长似乎化身一个神仙，看破一切，举重若轻。

会长又加了一句，但是，搞事的人到底是谁，我们不要瞎猜疑，一切都是传闻。

是谁爆的料？不该捅到媒体上去啊。郭伟东心里最想得到的答案，就在这一句。

会长呼哧一口气，把烟雾吹散，回了一句，你觉得呢，会是谁？

这一句，吓坏人。

眼前的会长，目光如炬，像两道闪电。

郭伟东连忙说，不知道。

会长摇了一会椅子，说，事情已经平息了，说说无妨，吴总首先是后院起火，他老婆请了私家侦探，拍到了两人的照片。私家侦探也是个操蛋，没职业道德，当得知吴总的家底后，拿着照片要加价，说好的一万，开口要十万。吴总老婆不干，甩脸走了。私家侦探怒气冲冲，向几家娱乐周刊爆了料。就这么简单。

唉。郭伟东给会长换了个瓷具，添了杯新茶。

这就是命吧。会长慢慢地吹吹茶水，然后一饮而尽。

11

节外再生枝。

南国苑酒店，收到一纸终结租赁的通知书。原来，南国苑并没有纳入创意园内。十年合同马上到期，必须迁走。

从通知书上的落款公章上看，已经换了新的管理公司。看来，老田说的传闻没错，吴总被踢出局了。

吴总出局，花铃别墅里的承诺即成泡影。

这个新公司的幕后会是谁呢？必须调查清楚，再协商。郭伟东派老于去了解。老于也是当兵出身，侦察兵，这方面最拿手。

三天后，老于拿到了一段录音。口述者是新的管理公司的销售主管。一位潮汕口音浓重的男子，口头禅是"不说你不知道"。

一切真相大白：吴总资金冻结，人被拘留审查，秦总以项目开工在即资金紧张为由，让吴总退出股份。吴总的股份由另外一家公司顶替，这家新入股的公司叫新商公司，它的注册法人是季宏达，会长大人。

现在，会长是最大的股东，董事长。秦总股份不变，但职务有变，变为执行董事。

口述里还提到，踢出南国苑是秦总的意见。至于为什么，是不是秦总想让自己的关系进驻、顶替，还是别的什么原因，谁都不清楚。秦总是执行董事，如果董事长不过问，基本上就定了。如果要扳回时局，唯一的办法，还是找会长大人。

为了南国苑，不管怎样，必须面见会长。

会长总是那么爽快，似乎就在等着郭伟东。电话一通，没等郭伟东说话，会长嗓子大开，郭总，在哪里，来喝茶。

这回，会长给的地址是大都第。

大都第，圈中每个老板都知道的地方，但未必去过，因为它是会员制俱乐部。刚开业的时候，头三个晚上，免费开放过。记得那天是中秋节，郭伟东和老田一起去的。要门票，但忘了门票是谁给的了。

没有招牌。俱乐部躲在水库半山上。宾客把车停在水库下面的停车场上，有电动车负责接人上山。一进停车场，俱乐部非一般的气场就显出来了。停车场里一溜的顶级豪车，清一色的兰博基尼，蓝色、红色，静静地卧着。都上了粤B车牌，不是待售，不是展示。不是五辆十辆，是五七三十五辆！一辆八百万，一共就将近三个亿！

　　水库当然不是对公众开放的，水库半山上更显神秘，高低错落的红墙小房子，沿山而建，各种自然生长的树木，没有做任何修剪，把灯光划得支离破碎。那晚月亮如盘，皎洁的光亮把到场的每个人都装扮得无比圣洁、感性。没有一个不是美女。而且数量众多，至少有一百个。都是名模的身材，演员的面孔。老田要了份酒水单，和预料中的一样贵得要杀人，好在那天晚上是免费。郭伟东记得老田出来后说了一句，以前泡过的妞，都可以忽略不计了。

　　"到此一游"后，郭伟东、老田都没有入会。那些年，正是打拼的时候，做梦都想着谈生意、签合同，哪有时间周旋这些可望而不可即的美色。

　　将近十年过去，多少酒吧、夜场浪花似的涌现、消失，排场越大，死得越快。没想到，大都第还在。

　　依旧是没有招牌。穿过一条没有路灯的林荫小道，来到水库山下停车场。兰博基尼还在！五八四十，再加另外一边的三台，四十三台。款式都变了，从光洁的车身看，估计都是最新款。奔驰、宝马，在这里都是二流车了。

　　一切都没变，通身乳白的电瓶车，扎黄领结的司机，扎黑领结的乘务员。郭伟东报上会长的名字和房间号。英俊的乘务员，在平板电脑上划拉几下，做了登记、核对。

　　会长，一身燕尾服，在红房子门口等候。

　　林间小道上看到的男人，都是燕尾服，配白衬衫，黑领结。

　　今天派对的主题是燕尾服。会长引进郭伟东，坐在一个暗红沙发上。这个小房子蛊惑而妖媚。天花板是个隆起的顶，像法国那些古老建筑一样，顶上画满了各种鲜艳的西洋画，净是一个个裸女和婴儿，喂奶，沐浴，蜷缩。

会长旁边端坐着一个女孩。女孩的肤色，让郭伟东想起第一次来大都第那个中秋之夜，每个人在圆月的照耀下，圣洁而感性。女孩的脸、额头、胳膊和手背就是这种感觉，圣洁而感性。女孩穿的是立领旗袍，长至脚跟，郭伟东能看到的只有她的脸、额头、胳膊和手背。那旗袍像是手绘在女孩身上，一点褶皱都没有。女孩只坐了半边屁股，身材曲线流水一样，顺着脖子，经过山峰，进入平地，再分叉奔流而去。

旗袍上，暗花怒放。

这是郭伟东第一次看到会长身边有女人。

会长介绍，这是墨莉，这是郭总。

郭伟东点点头。墨莉微微笑。

恭喜会长主持旧城改造。郭伟东不再提吴总，也不想装傻，直接一句，一方面表明自己已经知道管理公司易主了，另一方面表明自己支持这个新的公司。

会长没说什么。生意场的事不需要解释，一已经变成二了，就不要问为什么会变成二。要问，那你就真二了。

中间顿了半分钟，会长给郭伟东倒好茶，自己的也加了些。喝了口茶，会长好像突然想起了什么，主动问起来，你的南国苑还在我们项目内吧？

郭伟东答道，接到通知要我们搬走，我就是为此事而来，请求会长帮忙。

哦？具体事我没管，都是秦总在管。会长转头轻声问墨莉，我手机呢，然后跟郭伟东说，我问问秦总，你是商会会员，该照顾理当照顾。

墨莉把手机交给会长。会长按着号码，走出小房子。

墨莉给郭伟东加了一口红酒。加完后，却没有举杯示意，倒是自己品了一小口。穿过巨大的玻璃杯，看到墨莉两片敦厚的嘴唇，微微抿着。那是一个非常性感的瞬间。

杯子放下。墨莉才说，郭总你不喝酒？

郭伟东端起酒杯和墨莉碰了一下，一口干掉。

会长重新回到沙发上。他直接坐在郭伟东这边，拍着郭伟东的肩，兄弟，搞定，下周一董事会再过下会，我会参加，你的南国苑，留下来，问题不大。

搞定为大。至于秦总为什么想撬走南国苑，原因何在，跟吴总又有何关联，这些问题，懒得问了。

走，到一号楼看墨莉弹琴去。会长把烟盒一挪，又问墨莉，怎么样？

好啊。墨莉起身。

郭伟东和会长依次站起。

等下。墨莉唤了一声。

只见墨莉伸出手来，轻轻地在会长嘴边捏了一下。一片小茶叶，小心被人笑。墨莉细声说，眼神娇嗔。

郭伟东感觉这一对像父女。

一号楼就是大都第的大厅。各个小红楼算是包房。

一号楼的装修更加西洋化，简直就是西方宫廷的翻版，黑金流光，暗红溢彩。男人，黑白燕尾服。女人，艳光闪闪。一个白胡子老外，正在吹着萨克斯，欢快的旋律。

三人坐在靠近舞台右侧角落的沙发里。服务生端来一个长条盘，上面放着各种颜色的酒水，足有十多杯。郭伟东领了杯红酒。墨莉领了杯鸡尾酒，至于叫什么名字，未知。会长还没坐下，就被其他人叫走了。

欢快的萨克斯一落音，更欢快的舞曲响起。有人跳起舞，气氛逐渐热烈起来。

墨莉起身离去，进了舞台后的一个侧门。郭伟东以为她是准备要弹琴了，没想到一会儿，侧门打开，墨莉正冲着他招手。门里的光打在墨莉的背后，形成一个黑色剪影，把她的玲珑身姿照得毫厘不失。

无比地曼妙！

迟疑中，郭伟东走过去，走进去。

这是一个演员化妆间兼服装室。

梳妆台、挂满衣服、假发的架子、各种妆型挂图，让本来不小的房间显得局促。

墨莉给郭伟东套上了一件燕尾服！

穿上，穿上，很帅，很帅。墨莉突然变了个人似的，安排着郭伟东，你看，就你一个人穿着夹克，小丑似的，现在好了，现在好了。

领结呢？墨莉弯腰拉开一个个抽屉。从背后看，墨莉的细腰丰臀，宛如鸭梨。

等墨莉找到领结，她已经出了微微细汗了。她站在郭伟东面前，踮着脚，颤了颤。郭伟东一手扶住了墨莉的腰。蛇一样的腰。

墨莉定住，稳稳系上领结。好了，幸好你今天穿的是白衬衫，很合身，很合身。

走出化妆间。墨莉上了舞台。

她弹的是扬琴。大珠小珠落玉盘。大家瞬间安静下来，会长也坐了过来。这个角落的位置正好可以正面看到他的女人。

会长嘴里咬着雪茄。大口大口地吞吐，烟雾弥漫。烟雾中，会长靠在沙发上，半个身子陷在沙发里，眼睛闭着。雪茄一直咬着。烟雾渐渐弱下来，似乎就和正常呼吸一样，有节奏地迎送着。郭伟东总觉得会长已经睡着了……

琴声绕梁，很久才消失。

掌声起。

会长起。

会长侧拥墨莉，手挽着她的腰，闻着她的头发，嘴里不知道说着什么。好像什么都没说，只是在耳鬓厮磨着，回味最后一个琴声。

墨莉重新坐下。会长又被人喊去。

墨莉端起还没动过的鸡尾酒，问，知道它叫什么名字吗？

郭伟东整理了下燕尾服，抬抬屁股，换了个姿势，然后摇摇头。

请——跟——我——来，有意思吧，这名字。墨莉喝了一口"请跟我来"。

好怪的名字。郭伟东笑着说。

听会长说，你会写小说？会写小说，肯定会讲故事。墨莉往前坐出来一点，脸上起了红晕。想必，"请跟我来"是杯烈酒。

当然会。有机会给你讲，可以吗？郭伟东发现自己有点紧张，话说起来硬邦邦的，你电话多少？

墨莉恢复了低声细语，报出一串数字。

郭伟东把号码记在手机上，然后悄悄摸出名片夹，捏出一张，按在墨莉手心里。

12

吴总的事远远没有想象的那样简单。资金冻结，人一直拘留待审。现在又出现新情况。吴总的事牵出了三个官员：街道书记、市国土局局长、市人大副主任。

上次播的新闻说的是娱乐圈，这次发的新闻却震动了官场。

偷情，身份曝光，公司被查，高官落马。这就是所谓的蝴蝶效应吧。蝴蝶扇动下翅膀，有可能引来一场地震。

郭伟东总想知道，这里究竟发生了什么？

到底是谁搞的事？

秦总挤掉吴总，为何顶替的是会长？

会长是否真的动用资源、关系保住吴总？

会长有次说"希望吴总吸取教训"是暗示什么？

为什么秦总一掌权，南国苑就要被撤走？

为什么会长一个电话，事情又有转机？

会长为什么宁愿打乱秦总的计划，也要帮一个与他不相关的南国苑？

太多太多的问题，再次涌上心头。

郭伟东拨吴太太的手机。尾号888。

如果说事件起源于自己，那么吴太太是接第二棒的人。

电话关机。

又一念头出现，这个吴太太会不会是故意让私家侦探把绯闻照片公之于众？

这个吴太太是不是劝过无数次吴总，不要玩女人不要玩女人，是不是抓到过无数次现场，无数次捉奸在场或堵了个正着，然后吴总死心不改，吴太太只好出了个下策：同归于尽。

甚至，举报吴总偷税漏税、行贿的人就是吴太太！

一切皆有可能！

这一连串的设想，让郭伟东觉得心惊胆战。想起自己送出去的钱财，贿赂的官员，那也是一个不小的数字。

越来越觉得深不可测的会长，季宏达，又来了电话。地点还是神秘的大都第。

内容当然是关于南国苑的去留。

任何事情到了会长这里，总是四两拨千斤。会长抱头靠着沙发，轻巧地说，兄弟，搞定。

郭伟东看到茶几上放着一沓文件，董事会会议纪要。拿过来一看，最后一条讨论的就是南国苑。结论是，董事会通过决议，保留南国苑酒店和经营风格。

这事了结了，走，一号楼去。会长起身。郭伟东跟了出去。

一进一号楼，就看见了墨莉。

墨莉蜷缩在上次坐过的那个沙发里，还是穿着立领旗袍，只是袖子长了些。旗袍上，暗色的凤凰在盘缠。

看到会长来，墨莉身子坐正，抹抹头发，变脸似的，浑身容光焕发。会长手伸过去，揽着腰，没等烦吧。

没有。墨莉吱了声，又说，你朋友跟你打招呼。

会长收回手，招呼朋友去了。

郭伟东心里有说不出的喜悦。

讲个故事吧，文化人中的商人，商人中的文化人，郭总。墨莉前倾着身子，胸前紧绷绷的。

南国苑的事彻底解决，郭伟东心里宽敞了许多，讲了一个故事：

我给你讲一个老头的故事。他是个浪荡公子。

在他九十岁那天，他想送一件礼物给自己，也就是和一个未成年处女那个一夜。这想法太强烈了，于是，他联系了相熟的老鸨。——老鸨，知道吧？对，妓院老板娘，差不多就这意思。——当天晚上，这老头走进了一个妓院的房间，躺在床上的，是一个光溜溜的十四岁少女。老鸨给她吃了迷药，所以女孩昏睡不醒。

嘿，这老头却吓得有点不知所措了。作为一个男人，他并不是毫无经验的。相反，他九十岁的人生丰富，浪荡得很：他到五十岁的时候，就已经睡过五百一十四个女人，而且是个个都付钱的：即使女人不要钱，他也会强迫她收下，把她变为妓女。他年轻时订过婚，但在最后一刻逃了婚。他的特点是，不愿对任何人负责，哪怕是对一只小猫小狗。

处女到手了，但他并没有和她那个。一整夜看着纯洁如雪的少女，这个老头看呆了。他突然发现，从未爱过的他，在这个十四岁的少女身上，找到了真爱，几十年以来还是第一次有爱的感觉！

哎哟，不得了哦！这个老头爱得发狂，他变了一个人，他每天晚上去找这沉睡的处女，在她简陋的房间里摆上油画和书，在她耳边轻轻朗诵诗歌，吻遍她的身体但也就仅此而已。他变了一个人，因为有爱，他自己变得很开心、很充实、很年轻。

忘了讲，这老头，他本是个专栏作家，平庸的专栏作家，写的文章矫揉造作，报社都按最低标准给他开稿费。但是因为有爱，他改变了自己的专栏风格。无论是什么主题，他为她而写，他为她哭，为她笑，为她把自己的生命体验写在每个字符里。同时，老头面对这个女孩，直面自己过去的一生，总结、反省那些窝囊、堕落与卑劣。文章真情流露，又这么真诚，自然很打动人，结果老头一炮而红，成了著名作家。

当老头九十一岁生日到来的时候，他知道自己快要不行了。于是，他把自己全部的财产都赠送给他的女孩。老鸨悄悄告诉老头，那年轻的小处女，其实早知道他为她做的一切，并且在她心里，爱他爱得发狂。这个将死的老人，在最后一刻，感到自己有了新生命，安心地去了。

故事讲完了。墨莉听呆了。郭伟东等着她出第一声。一分钟，两分钟，五分钟后，墨莉才笑了一下。

好值得琢磨的一个故事。墨莉说，你写的吗？

不是，是国外一个叫马尔克斯的作家写的。我也就是看了个故事梗概，觉得蛮有意思，现学现卖给你了。

马尔克斯……我知道，就是《百年孤独》那个作者，加西亚……马尔克斯。

好像是这个全称。你很了解嘛。

大学读过《百年孤独》。

这小说挺厚的，你还有这个耐心？

是啊，现在的人，啥都不缺，就缺耐心。听音乐也是这样，稍微慢一点的，古典一点的，大家就没兴趣了。什么东西都要轻、快、透、露。包括服装。

还有爱情。

是的，现在的人，连恋爱都嫌浪费时间。

两人你一言我一语地聊着。不知何时，墨莉的头发散落下来，卷曲在肩膀上，眉低眼垂，妩媚中捎带着哀怨。这丝哀怨，让郭伟东想起一句诗：丁香一样的结着愁怨的姑娘。

我要给大家弹琴了，到化妆间准备一下。墨莉说完，会长过来了。

会长拍着郭伟东的肩，又好像是对墨莉说，我下去停车场等个客人，我就不看你的表演了。

会长走了。墨莉也起身，走进舞台边上的暗道。推开小门，与灯光撞了个满怀，再次把墨莉的腰身照射出异样的光彩。

墨莉似乎停了停，然后关了门。

看着狭长的暗道，郭伟东坐立不安。两条腿不停地抖。

抖了很久，墨莉很久也没出来。

郭伟东往后瞄了瞄，没见到会长。突然不抖了，郭伟东进了暗道。

推开门，侧身进去。

墨莉正在镜子前，站着，呆呆地。

镜子前头的灯已关。光线微暗。

墨莉很镇静，没说话。

郭伟东上前一步，抱住了蛇一样的身子。

唇压着唇。

唇齿间还有红酒的甜味。

胸压着胸。

压到墙上。

压到呼吸上。

郭伟东手动起来，隔着绸纱，探索前行，用一个老男人的耐心和力度。

墨莉软了下来，咬着耳朵说了一句，就知道你是个坏人。

郭伟东发现自己的身体很久没膨胀了，不知道回一句什么好，大力地顶着。

登台时间到了，下次。墨莉又说了一句。

手起音出，看着台上的墨莉，郭伟东发现自己的防线崩塌了。

一曲一曲又一曲。

墨莉似乎要击破手里的琴，方肯罢休。

她在诉说什么？

不知道。

她心里在想着会长还是自己，还是别的人？

不知道。

她对自己刚才的举动是怎么想的？

不知道。

郭伟东只想知道，何时再会？

还有没有机会再会？

琴声落下。

会长过来了。

会长照例挽着墨莉，凑近鼻子，闻了闻她的头发，像是欣赏，像是检阅。然后一会儿说，郭总，下个周末，商会联谊，南昆山，一定要参加啊。

一定。郭伟东应到，然后端着酒杯走出了一号楼。

楼外，夜色阑珊，清风送爽。可郭伟东心里乱极了，把杯中酒干掉，然后找到被人群围着的会长，道了声别。

没见到墨莉。

郭伟东离开了大都第。

13

南国苑的续租合同顺利签完。这场暗战终于尘埃落定。郭伟东在"粤悦"酒楼举行了一个小型的庆祝会。

——敬酒，感谢兄弟们的并肩战斗。法制越来越规范，生意越来越难做，以前是拼关系，现在要拼实力。郭伟东向几个高层吐露心声，城市就是一个高压锅，我们每个人都是小馒头，加班要适可而止，制度要照顾一线，公司要成长，员工更要成长，要让员工感觉到，不是为公司打工，而是为自己打工。

酒喝到办公室宣传小金那，小金问，郭总，酒喝完，你不会又要上山了吧？

郭伟东说，应该是。

会削发为僧吗？小金又问。

看机缘。郭伟东笑答。

周末的商会联谊，去惠州的南昆山。又是三台大巴。郭伟东坐在最后一排，看着会长阳光灿烂地唱着歌，开着女导游的玩笑。

郭伟东突然觉得，这会长就是一黑山老妖，他一掀黑西服，天都要暗淡下来。他再一掀，无数个美女就现身出来，墨莉就是其中一个。

闭上眼，想起墨莉。那蛇腰梨臀，圣洁的脸庞，像刚从牛奶浴里出来。那喷薄炙热的气息，埋伏着的峰峦，微微湿润的颈脖。还有一丝哀怨。要命！

吴总说电影演员白兰是狐狸精。

墨莉才是狐狸精！

两小时后到了惠州。老板们应酬着，谈项目，谈女人，谈政治，谈股票。郭伟东远远看着会长，红光满面，杯来盏去，左右逢源，你来我往，手舞足蹈，醉话连篇。

夜色杀到。郭伟东进了自己的房。这回，每人独立一房。

站在窗前，山色如墨。一如郭伟东的神色凝重。

郭伟东决定出走，回深圳。

离开房间前，郭伟东把被子抖乱，拖鞋撕开，毛巾浸湿。

把这一切做好，郭伟东觉得很可笑，一脚把拖鞋踢得老远。

花高价打了一辆黑车，趁夜狂奔。

一路上，郭伟东闭目养神，排除万难，啥也不想。

进入市区，郭伟东开了自己的车。刻意开了商务车。

加速，加速，直接冲进大都第。呼叫墨莉。我就在停车场等你，到了，你出来。

五分钟后，墨莉翩跹而落。上了车。

两人坐在车上，再无他人。

去哪里？

旁边就是一个汽车电影院。

一个转弯，取卡，交钱，就停进了露天电影院。

郭伟东连车都忘了熄火，搂住墨莉。

放到椅背。

把墨莉推到最后排座位。

女神一样的狐狸精。

一条果黄色的过膝筒裙，一件无袖半透明丝质衬衫，头发电得微卷，足有十厘米高的白色细跟高跟鞋，裸色丝袜。

钻木取火般的吻。

想就此吞掉对方。

衬衣在磨蹭中被打开。两瓣颤动的果实，散发着奇异的香味。

郭伟东手顺着裙摆摸进去。丝袜是吊带丝袜，大腿根上的蕾丝让腿更显柔滑。指尖再往上走一点，一股湿润的热气困顿其中。

这热气连接了郭伟东血液里的热气。正负极，通了。

墨莉开始不能自已，反跨在郭伟东腿上。

狂热。

狂乱。

凶猛。

凶横。

郭伟东看了一眼前方，大屏幕上正放着一个激烈的战争场面。机枪扫射，炮火连天。

郭伟东没有打开接收调频。两人仰在座位上，舒展地伸直大腿，看着眼前的电影。

回到默片时代。

战争片已经结束。接下来是一个搞笑片。看着看着，两人在车里笑起来。

电影到了一半，剧情突然悲伤起来。郭伟东把车开了出去。

车流连在高楼大厦间，没有方向。墨莉头歪在郭伟东肩上，郭伟东时不时腾出手抚摸着墨莉的肩、脸、耳垂，还有乳房。

两个人，像多年的老情人重逢。多讲一句话都属于多余。

可其实，郭伟东并不了解墨莉。

除了，她是会长的女人。

想到这，郭伟东还是问了墨莉一些情况。墨莉，从音乐学院毕业刚满一年，学的是民族器乐，一次商业庆典表演中，认识季会长。季会长说，他接手一个会所，请墨莉驻演，报酬很高。墨莉从会长眼神就知道这其中肯定还有其他的意思。但墨莉太爱民乐，为了有表演机会，答应了。会长像父亲一样照顾墨莉，像男朋友一样大方付出，第二个月就送了一辆甲壳虫，接下来还要送房子。

你说他为什么这么大方，对我？他没有睡过我一次，但他却说他很满足。

会长花钱花在你身上，一方面是让你开心，但更重要的是他自己开心，他跟你在一起，要的是那种找回青春的感觉，要的是那种美好的小情调，所以他心甘情愿。郭伟东说，送一辆车、一套房不算多，有一天，他就是送一个家族产业给你，也不算多。

墨莉似懂非懂，头靠过来，手弯过来，问，很晚了，接下来去哪里？

柔情四起。

去酒店。郭伟东说。一脚油门踩得飞快。

一个要拯救他人的拯救者，把自己埋了。

有些事情，不要怪事情来得突然，也不要怨自己不小心，或者恨别人太无情。

只能说，因果报应，或者世界无常。

随你怎么理解，都行。

因为事情已经发生了。

一夜温柔乡醒来，第二天郭伟东把墨莉送回大都第。掉个头，沿林荫小道下坡，准备返回公司。突然一辆吉普从侧面冲出来，躲都躲不及，哐，两车相撞。郭伟东下车来，对方是个瘦小个子，一跳下来就骂骂咧咧，全是脏话，妈拉个逼，找死啊，傻逼。

郭伟东觉得奇怪，问，一大清早的，你这什么态度。

小个子扬起脖子骂得更凶，靠近来，推推攘攘。

没闻到酒味。

郭伟东后退三步，准备自认倒霉，开车走人。

没想到，小个子居然拉扯着，一个拳头挥在郭伟东的小腹上。

呀！小个子拳头里带着针！

郭伟东感到几秒钟的刺痛后，自己踉跄几步，就倒在地上。

然后意识到自己裤腰带给解开，内裤被拉下。

一阵心脏被连根挖出一样的剧痛，让自己从麻醉中跳醒。

痛从裤裆里来。

一摸，一手的血。

血多得像团淤泥！

两腿间的那东西被割了！

剧痛。

痛得要晕死过去。

郭伟东扯掉地上的一坡草，咬在嘴里，让自己站起来。

小个子早已开车逃走。

血呼呼的一团肉，正落在脚下。

清晨的山道，空无一人。

郭伟东把衣服扯下来，揉成一团，按住下身。

巨大的恐惧包围着。

打电话，120通了，一声两声三声，怎么没人接！

郭伟东手抖着，突突突，连手机里的通讯录都打不开。

直接拨号码。

拨谁的号码？

郭伟东能背得出的，只有一个人的号码，那就是前妻岳月红。

电话通了。

只响了一声，岳月红接了。

快，快来救我。郭伟东叫喊着。水库唯一的一条上山道，快，帮我叫120。

十五分钟后，岳月红前脚到，120救护车后脚到。

一身睡衣睡裤的岳月红吓坏了。车也不要，跟着上了救护车。

郭伟东早已痛昏过去。

再醒来，病房里灯光明亮。郭伟东发现自己腰腹部被一个铁架子固定住，动弹不得。

岳月红守在旁。郭伟东问，现在是什么时间？岳月红说，现在是深夜，第二天的深夜。

岳月红说，医生说了，送得及时，失血缺氧不多，组织没坏死，手术也很成功，三个月痊愈后不会有影响。已经报案了。车也拖回保险公司了。

郭伟东望着两眼浮肿的岳月红，你辛苦了。

岳月红还像以前那样，称呼着郭伟东，伟哥，到底发生了什么事啊。

郭伟东说，没什么，过去了。

岳月红流下泪来。

病床上的第三天，警察就来做笔录。这个笔录其实就是个套路，因为小个子已经自首了。现在人在看守所，检察机关很快以故意伤害罪起诉他。

警察出示了小个子穿着看守所衣服的照片。

小个子一脸平静。

警察补充说，这小子得过散打冠军。

一切都太蹊跷。

郭伟东问，知道这幕后黑手是谁吗？

警察答，目前暂时查不出有什么幕后，但我们会尽力调查。

郭伟东知道，再问也是多余，说了声谢谢。

郭伟东似乎想起了什么，但又不愿意多往那条道上想。

身子虚弱如丝。

整个人，往上飘，往上浮。

想脱离衣服。

想脱离病床。

想脱离医院。

想脱离城市。

想脱离世界。

想到一片云朵上去。

最好，连一丝风都没有。

14

郭伟东在开他的"蓝绸带"基金成立新闻发布会之前，自己去了趟监狱。

郭伟东总觉得，他最对不住的一个人就是：吴总。

自己想要拯救吴总，却把吴总整到监狱里去了。

这当然不是郭伟东的本意。

住院的时候，郭伟东就看到了报道。吴总的案子判下来了，没收财产，以行贿罪名，判刑五年。那几个官员，三年，七年，十年不等。

看到新闻那天晚上，郭伟东再打吴太太尾数888的电话。这次，电话通了。

显然，吴太太知道来者是谁。吴太太说，每个月的十六号是探视日，你来吧。

躺在病床上，郭伟东闭上眼睛，却再也想不出吴总和吴太太的模样。一点也想不起，就像记忆被抹去一样。郭伟东再想其他人，会长、秦总，还有墨莉，都想不起来他们的面孔了，像糊掉了的粥，水不像水，米不像米。郭伟东想，城市里生活就是这样，每天遇到不同的人，和不同的人握手、吃饭、讲段子，甚至做爱，但瞬间忘掉。

郭伟东清晰记得的，只有一个人，前妻，岳月红。

因为，她就在床前。

第一个探视日郭伟东就去了。

阴冷结束，阳光明媚。走上监狱门口的长坡，人都有点冒汗了。

会见室清爽明亮。吴总顶着光头，在一个干警的陪伴下，出现在有机玻璃前。吴总瘦了，肚子瘦了，脸没瘦。吴总没有着急拿起红色的对话听筒，反而是坐在凳子上，望着郭伟东，面无表情，凝视着。眼神里是平和。

吴总似乎在回忆什么，又似乎是在琢磨开口第一句话要说什么。

足足有一分钟后，吴总才拿起了听筒，缓缓说了句，兄弟，还好吧。

郭伟东浅浅地笑了笑。这浅浅的笑，连郭伟东都分不清，是尴尬，还是悲哀？

两个老男人隔着玻璃，仿佛隔着千山万水，隔着一个时代，沉默无语。

很久，吴总问了句，生意怎样？

还行，我都很少插手了。郭伟东答。

哦……

季会长大年初一跑到美国，音讯全无，个人在国内的账户全转到了国外。现在新井商会已经解散，买下来的办公物业，等着拍卖……

兄弟，别告诉我这些事，我一点都不想知道。吴总打断了郭伟东，一切都跟我没关系了，没关系了。我现在觉得在这里挺好的，每天早上六点半起床、吃早餐、出操、列队、跑步、唱歌，每天中午一菜一汤，晚餐两菜一汤，晚上看"新闻联播"，十点准时睡觉，睡得比在外面安稳、踏实，分配的劳动也不重，组装电子钟，这都是我当年打工时的拿手活……

淡然的表情，挂在吴总脸上。

吴总把听筒换了个耳朵，说，他妈的，这人也是奇怪，以前赚再多钱都觉得少，账面的钱多得要数好几次才数清楚到底有几位数，现在呢，以后出去了，回老家开块地，种水稻，种白菜，养头猪，粗茶淡饭，老子真的可以做得到。人的欲望真他妈的奇怪……

一路上想到的很多问题，郭伟东给憋回去了。

比如：

谁举报的吴总？

为什么偏偏是会长顶替了吴总的股份？

会长为什么出逃美国？

加害自己的小个子背后藏着什么人？

是会长发现自己搞了他的墨莉，然后买凶伤人？

还是吴总发现自己是导致他出事的祸害源头，然后买凶伤人？

……

吴总放下听筒，向远处的干警示意，主动结束探视。

干警走过来。吴总拿起听筒说了最后一句话，兄弟，谢谢你。

一走出监狱，就见到了吴太太。

显然，她在外面等着郭伟东。

吴太太变化不大，昔日的富贵，仍留在脸上、发型上、衣服上，甚至是挎的包包上。

从第一次见面，吴太太就给人四平八稳、沉得住气、运筹帷幄的贵妇人印象。此次家庭变化如此之大，那份大家之气，仍然未退。

吴太太和郭伟东在监狱附近的一个小餐馆里，要了两杯茶。

茶上来，吴太太说的第一句话，和探视吴总时说的最后一句话，一模一样：

谢谢你。

这个"谢谢你"，是吴总交代的，见到你，一定要说一句"谢谢你"，同时也是我要对你说的，真的。吴太太手握茶杯，像是在取暖。郭伟东看到，大片大片的叶子在水中翻腾、展开，一瞬间，水有了茶的颜色。

吴太太的心情显然要比吴总平稳。吴总表面装得平稳、淡然，但他心里仍没放下，面对往事，不愿重提。

吴太太说，吴总出事，首先出在他自己身上，他不该去找娱乐界的女人，二是他不该去碰会长的女人。

白兰是会长的女人！

郭伟东想起吴总说过，认识白兰是在电影首映式上，电影是他一个朋友投资拍的，但他没说这个朋友是季宏达，季会长。

季宏达是个老狐狸啊，怎么能惹呢！吴太太说，娱乐版一登新闻，大丢面子的何止是吴总，是季宏达啊。谁敢搞会长的女人？也只有我家这个男人！

谁敢搞会长的女人？

吴总。还有，郭伟东！

郭伟东在心里自问自答，心头冒出一股冷气。

知道最早是你告密时，吴总一开始是恨你的，他甚至说要找黑社会把你做成哑巴，封了你的嘴。但后来，他自己说，在看守所里，看到比他身份更显赫的人，大有人在，他渐渐明白，人生就是这样，起落无常，人各有命，有因有果。吴太太把熰热的手放在另一只手上，说，说实在的，他进监狱后，判五年，我觉得也值，这件事不出，过几年也会出其他事，公司的摊子这么大，吴总这个人这么张扬，过几年出的事，估计更大，那判的可能不是五年，是十五年，是枪毙。何必呢，人生短短，苦海无边，早醒悟，早安心。

郭伟东感觉又回到了寺庙里。方丈正在上着早课。

现在家里缺钱吗？需要帮助尽管说，我和吴总也是兄弟一场。郭伟东问。

不缺，挺好。我现在就在这附近租了个房子，不是探视日时，我就每天早上跑到监狱警戒线边上，听吴总喊"到"。干警早上要点名，喊到吴总的名字，就听到他答一声"到"。你知道，他声音洪亮，声音大得很。听完"到"，我就回家了。

郭伟东听得唏嘘万分，想起守在病床三个月不走的岳月红。

吴太太继续说，那个女演员还算有良心吧，花岭高尔夫别墅不写她的名字吗，她上周给卖了，她找了很多人，找到我，把房子的本钱还给我，她要了增值的那部分。光这笔钱就三百万。再加上吴总这么多年带过的小弟，他们都混得很好，也都给了我们一些钱。别说三年五年，就是十年八年，吴总出来啥也不干，生活也完全够了，再说，我还有能力挣钱的嘛，这个小饭店就是我开的。

孩子呢？郭伟东问。

孩子在国外也毕业了，也不需要我们操心了。吴太太拿出手机，屏幕就是孩子在国外的一张照片，嘴巴咧得大大，笑得很开心，旁边一个女孩，很漂亮，估计是女朋友。

挺好，挺好。郭伟东喝了一口茶。茶叶在嘴里，没吐出来，细细一嚼，苦中带甜。

15

郭伟东的"蓝绸带"基金成立新闻发布会，邀请的媒体阵容很强大。上至中央电视台，中至广东、深圳省市报纸，下至区、街道小报；新闻网站，微博达人，意见领袖，线上线下，全媒体。

发布会选择在周六的下午，地点是中心公园。

无数游园男女，不请自来，见证启动一刻。

众记者问，蓝绸带，什么意思？

郭伟东说，说句大白话，就是"反出轨协会"。大家知道吗，妇联刚披露的一组数据表明，出轨，是导致城市家庭破裂的第一杀手，占了八成。蓝绸带，就是要反对出轨，促进家庭和谐。我们会为家庭中感情受害者提供帮助，这个帮助有心理咨询、法律咨询，甚至提供免费的法律援助服务；会定期请来社会学家、婚恋情感专家剖析两性关系；会请形体、园艺、插花等老师，教大家外修形象，内塑气质，丰富家庭生活，增加个人魅力，赢得配偶欣赏，降低出轨概率。蓝色，大海的颜色，代表平静和谐；绸带，柔软，顺滑，也有捆绑、维系之意。

有记者开玩笑说，出轨的男人和"小三"，一定恨死这条"蓝绸带"了。

郭伟东说，未必，"小三"也可以是我们关爱的对象，另外，出轨的还有女人，不要把责任全怪到我们男同胞身上，哈哈。

有个女记者问一句，为什么想到成立这个基金？跟你的经历有关吗？

郭伟东一笑而过，说，主要还是响应党和政府的号召，共建和谐社会，家庭不和谐，社会怎么能和谐，是吧。

主持人果断地宣布仪式到此结束。

就在走下台时，郭伟东远远地看到了一个熟悉的身影。

墨莉。

她冲郭伟东笑了一笑。

郭伟东朝她挥挥手，但没有走过去。

墨莉也转身走了。

郭伟东再次对着她的背影挥挥手。

似乎这一挥手，就把她从生活中抹去了。抹去的还有蔷薇、夏荷、穆丹、邱菊、小草，等等。

发布会搞完后，郭伟东、老田在一起喝酒。基金会，老田也出了一笔钱。

酒至三分。老田打开IPAD，上网，几个新闻网上已经挂出"蓝绸带"新闻。"蓝绸带"旁边的一条新闻，挺有意思。老田哈哈大笑，故意大声说，这条新闻不能给你看，否则你会伤心死。

郭伟东夺过电脑，点开新闻，好大一个标题：

方丈还俗完婚引争议，昆明筇竹寺清贤方丈迎娶26岁女老板连方丈都控制不住欲望了，何况你我凡人。老田长叹一声。

我也要结婚了。郭伟东对方丈结婚没有发表一句意见。

跟谁？老田问。

前妻，岳月红。郭伟东答。

她跟她现任老公离婚了？

是啊。

为什么？

还不是因为搞女人。郭伟东自己给自己倒了一杯酒，满得都溢出来了，酒瓶一顿，慢慢地说，妈的，滚了这么多女人，滚来滚去，还是滚回了最初的女人。

爱了就爱了

1

多年之后，每当我从外地参加各种摇滚音乐节回来，背着永远用不上的黑吉他，最后走出深圳火车站的时候，我总会想起1998年7月11日的下午。

那天下午，我和格雷、罗兰、雷米三个大学同班同学一起从北京来到这个被称为经济特区的南方城市。我们人手一个笨重的拉杆皮箱，皮箱小轮子狠力地摩擦着火车站出站通道带着青色花纹的大理石地板，咕噜作响，结实而欢快。

一个领带打歪了的胖子歪歪地站在出站口，撕破我们的车票，面无表情。四个大学毕业生却依次笑着点头，并用绝对标准的普通话说："谢您啊，师傅。"

而如今，他们都在哪里？

昨天下午，我刻意绕道路过"天堂"酒吧。看到这些话。它们印在狄安最新专辑的宣传海报上。海报没贴稳，风一吹，掉了。居然正好盖在我脸上。

2

狄安说的雷米就是我。我是雷米。

收拾好行李，现在该轮到说我的故事了。

3

我在哪里？

刚刚回到家。家，不过是一个四十多平方米的一房一厅，更准确地说是个窝。结婚之前，我在这里一住就是八年。结婚后，我没有把它租出去。它也是我的一个家，心烦时，我常过来待会儿，抽支烟。

我在这里给单位加班，电脑键盘敲得飞快，噼噼啪啪的响声让阳台上的每一只蟑螂难以成眠。

我在这里接待过八个大学同学，大学毕业一周年聚会的时候，十几个在广深两地工作的男生在卡拉OK里跟四个女生说完黄段子后，深夜两点打的到我的狗窝，四个人打"拖拉机"，四个继续喝酒、说起邢胖子夏天在水房里洗澡光着屁股裸奔整个楼道，冯臭脚买来高倍望远镜偷窥那永远半拉窗帘的女寝室。

我在这里还接待了一个三陪女，一次在街上收到一张色情卡片，那个晚上宿舍突然停电，我实在忍不住拨通上面的电话，不到半个小时，一个穿着黑色短裙的小女孩潜入房间。那小女孩说，今晚是我的生日，十七岁生日。我啥也没做，居然给她唱了一首林志颖的《十七岁的雨季》。小女孩临走前，把藏在乳罩带里的避孕套送给了我，权当纪念。那个晚上正是千禧年交接的时刻，电视里播放着全世界人民狂欢的盛况，我捏着避孕套看了一晚上。

当然，我在这里还接待了陈苗，三个多月，1999年3、4、5月。那个时候，陈苗还是个大四学生。为了迎接陈苗，我毕业不到半年就买了这个小房子，零首期，月供一千元。我想让陈苗看到未来，美好的未来。

4

"老公，你什么时候回来？"是叶欣的短信息。从售楼处办完手续后，我就和她分头走了。我想回小房子安静一会。

多么清脆的一个词，"老公"。听起来像个调皮的孩子，背着手，躲在门后，想吓吓从远方回来的亲人。叶欣你知道吗，十年前，也有一个女孩这么叫过我，那是我人生第一次有了这个代词。她叫陈苗。

那天下午还不到四点钟，陈苗就把电话打到办公室来了，"老公！"

陈苗有个习惯，只要她突然叫我"老公"，肯定是有好消息。

果然，陈苗告诉我："我找到工作了。"

1999年，大学生已经开始不包分配，搞起了自主择业，双向选择。虽然工作不像现今这么难找，但开始有了些紧张的迹象，那个时候报纸讨论最多的就是"人才高消费"，高中生的职位要本科生干。我不信。陈苗刚到深圳两天，哪能那么快找到工作。

"我早在来深圳前就投了几份简历。你们学校对面的那家银行的副行长刚刚给我打了电话，说明天一早让我空腹到单位里参加体检。然后下周一去人事部签接收合同。"

我还是不信："别逗了，亲爱的师妹。我们单位对门是一栋写字楼，但哪有什么银行啊。"

陈苗说："就是你们单位对面那栋写字楼，是银行的总部，法律事务部，不是营业点。笨，师兄就知道吃嫩草。"

那天晚上，我特地在上海宾馆附近的一家粤菜馆请陈苗吃了一顿海鲜，以示庆祝，陈苗则乘机大表答谢。那天晚上，我给陈苗不停地满上她家乡的青岛啤酒，陈苗则把十几只沙井生蚝夹给了我，调皮地说："补补，好好补补。"

十几只沙井生蚝飞速见效。当晚的我，一如生猛海鲜，龙腾虎跃。事后一会儿，陈苗用手引导着我的手按在左边乳房下部、靠近腋窝的地方，"感觉到吗？"

一个小硬块，什么东西？我的中指和食指的指腹能明显感觉到一个蚕豆大小、但边界又极其不规则的硬块。

轻点，痛。陈苗拿开我的手，"我也不知道，来深圳之前的一个月我就摸到了，以前没有的啊。"

5

陈苗空着肚子跑去银行指定的人民医院体检。由于体检的人很少，陈苗三下五除二地就把身高、体重、视力、血压、抽血什么的都做完了。

陈苗最后一项去了妇科。一番检查后，看到年纪约有五十多岁的女大夫态度十分和蔼，陈苗主动撩起上衣，让老大夫摸摸自己左边乳房下部的硬块。老大夫摸完后，戴上老花镜让陈苗坐直了，然后先是看看了，再用手从下往上滑过乳房。"你把双手举到头顶，然后鼓掌。"老大夫自己做了一个示范动作，陈苗接着就在头上鼓掌，两只乳房随之一收一放起来。鼓掌不到十下，老大夫就说，可以了。

老大夫脱下眼镜问："还记得第一次来月经是什么时候吗？"

陈苗想了很久："月经好像来得比别人早，十一岁就来了。"

老大夫停顿了大约有一分钟，然后略有所思的样子说："想想看，今天是月经后第几天？"

陈苗艰难地掰了两次手指说："第九天吧。"

老大夫立即说："好，刚才体检不是有彩超这一项吗，我建议你明天拿着彩超的结果去医院的外科看看。"

陈苗把上午老大夫跟自己说的话转述给我听的时候，我正在学校会堂拍照片。我听了半天觉得这老大夫真奇怪，怎么问起月经问题。

我让陈苗打车来学校会堂，选一个失学儿童。

市教育局在我们学校搞了一个资助云南丽江失学儿童的"手拉手"活动。希望工程大眼睛女孩的巨幅照片下，一百名品学兼优的孩子排着队等候资助，"少上一趟酒楼，点燃一份希望"。资助的方式是，当地教育部门把每个学期的学费单邮寄过来，资助者再把钱汇过去。

陈苗和我都看中了同一个孩子：吉玛，女，十岁，云南丽江宁蒗彝族自治县永宁乡古树村人，家庭年收入不到六百元，母亲患有癌症。

6

中午吃饭的时候，陈苗再次提及上午老大夫说的话，并强调老大夫当时有些凝重的神情。我看陈苗说得也是一脸严肃的样子，不敢再装出一副无所谓的样子，就问："那老大夫是什么意思？"

陈苗阴着脸说："我也不知道，女人要在乳房上出了问题的话，总不好吧。"

看着陈苗越说越离谱，越说越严重，我夹了一块肉给陈苗："明天下午我陪你去看看医生。"

第二天上午，根据安排，我和陈苗和所有资助失学儿童的深圳人，带着各自领下来的小孩到欢乐谷玩半天。下午二点，我就和陈苗去了医院。

陈苗先是找到体检科，拿着彩超结果到了妇科。陈苗那天刚好碰上专家出诊，便挂了个专家号。

大约等了半个小时，陈苗出来了。陈苗神情不对，阴着脸说："医生说判断不了硬块是什么东西，要做穿刺，取得活体组织进行化验检查。"

陈苗还说："要是同意的话，马上就做。"

我急了，认为医院是为了捞钱宰人，"哪有这么严重啊，医生都是这样，治个感冒还要你做B超呢。"

陈苗气得直跺脚："不是这样的，那个医生在北京念的博士，去年北京大学生运动会，她还到我们学校打过羽毛球比赛呢，我一进去就认出来了。当时她在半决赛的时候被淘汰了，要不我们还要对打呢。医生说，检查乳房最好是在来那个东西后的第九到十一天，我今天正好是第十天。"

被陈苗这么一说，我没脾气了。可接着陈苗又来了："可是我怕疼。"

我赶紧哄陈苗："穿刺就是跟古代针灸一样的，闭上眼睛不看它就不疼了。去吧，亲爱的，我在外面等着你。"

等到陈苗出来的时候，时间已经是下午五点了。陈苗果然是跟那个女博士医生认识，两人说说笑笑地走了出来。

7

晚上七点，我接到医院医生女博士的电话时候，正在看一封信。陈苗在哗哗地洗澡。

小吉玛来信了："我已经回到家了，阿妈阿爸也很高兴，说我遇到好人了。我答应了阿妈，我一定会好好读书的。我将来也要像你跟阿姨那样幸福地生活在一起。"

信折好放进信封里，手机响了。

"我是医院专家门诊的徐大夫，前天你女朋友在我们医院做了个穿刺手术，她在病历本上留的是你的电话。"

"哦，对。因为她还是学生，还没有手机。你好，你好。"

女博士医生打电话的时候声音听不出任何的异样："你女朋友在身边吗？"

"不在。她在洗澡呢。"

"那好，我就把你当成她的家属，我先告诉你她的检查结果。经过做穿刺检查，我们对陈苗左乳内硬块进行了活体组织化验检查，结果表明，陈苗患有乳腺癌，早期。"

"什么？"

"陈苗患有早期乳腺癌。"

我在大学的时候公开朗诵过无数首诗篇，豪放的苏东坡、浪漫的李太白，婉约的柳永、悲壮的辛弃疾和忧伤的李商隐。我是学校广播台的副台长，播音部的部长，大学校园里每到下午五点半，安在白杨树上、楼房墙壁上的广播总会准时响起一个淳厚的男中音，那是广播台的固定片头。大四的时候，为了找工作，我全国各地跑。陈苗想念我的时候，就偷偷来到我的学校，听下午五点半响起的片头。

我还记得，当所有人惊叹我朗诵技艺的高超时，有一次北京人艺的一位前辈却指出，我在朗诵上还有一个瓶颈其实一直没有突破，就是眼神"钉"不住。打个比方说，在朗诵"明月几时有，把酒问青天"这一句时，当"天"字脱口而出的时候，我的眼睛虽然望着右上方不动，但仅仅是望，没有凝神的韵味，就是"钉"不住。为此，我观摩了很多遍濮存昕老师的录像，但进步不大。我只好自嘲说，我天生好动，害怕安静和寂寞。

这一次，我终于做到了。我不知道女医生是怎么挂的电话，只知道自己的目光"钉"着右上方，眼珠一转不转。右上方就是窗外，可窗外什么也看不到，除了一座高楼。高楼是凝固的，看不到星星，看不到月亮，看不到树木，看不到人群。这个世界好像一座公墓，一切能活动的东西都死了。

浴室里的水声戛然而止。我被吓了一跳，差点喊出声来。

陈苗正在擦拭身上的水。我轻轻走近浴室，通过半透明的毛玻璃门，可以看到陈苗的每一个动作。陈苗用的是白色毛巾，她正尽可能地把手伸到后背，试图把水擦净。手往后伸，自然使得陈苗整个胸部往前耸。毫无疑问，那是一对饱满漂亮的乳房，它晶莹剔透，它圆润大方，它青春活力，它精雕细刻，它完美无比。它是我的私人珍藏！

裹着白色浴巾的陈苗出来了。陈苗热爱白色。

我转身拿起遥控器看电视。我还没想好该怎么告诉她发生在十分钟之前的巨大变化。陈苗让我去洗澡。我则说："哎呀，我得下楼买包电蚊香片。"

我拿起手机出了门。我下楼的时候差点踩空。

我在通话记录里找到了女博士医生的电话。我一共拨了七次都没把电话拨出去，总是把红色"NO"键当成绿色"YES"键。

电话通了。我说："你好，我是陈苗的男朋友。"

女博士医生说："陈苗的病情已经确定，作为医生的建议是，尽快做单乳切除根治术，因为她只是初期，做了手术后，预后会很好。"

"什么叫预后？"

"也就是手术后的存活期。"

"很好，是多好？"

"这要看术后的情况，包括体质、情绪。好的话跟正常人一样。"

"怎么做手术？"

"这是医学专业上的事情。我建议你把结果告诉你女朋友。或者由我们医院来通知。"

"一定要切除吗？"

"最好切除，防止病灶扩散。"

8

我快疯了。

那段时间，每当陈苗每天早上从楼下买回热气腾腾的杭州小笼包、每天晚上做好菜倒好饮料等我回来享用、哼着小调在浴室里把水开得哗哗响、没穿内衣在被窝里贴着我的身体的时候，我要疯了。

我第一个晚上眼睁睁地看着雪白的天花板。第二个晚上偷偷起床蹲在厕所里吸烟。第三天晚上我拎着一瓶啤酒偷偷下楼一口气灌完，然后把酒瓶扔得很远很远，咬着右边的大牙狠狠地骂了一句："我操你大爷"。那天晚上，我再蹲厕所的时候发现自己已经瘦了一圈。

那三天，我第一次向单位请了假，说自己在龙岗的哥哥被人打伤了，需要过去处理和照顾。

那三天的白天，我是在深圳图书馆二楼的书报刊阅览室度过的。进馆三瓶矿泉水、两个面包。出馆还是三瓶矿泉水、两个面包。我已经失去了饥饿的知觉。我只知道一页一页报纸地翻过、翻过，然后捧着报纸去服务台登记复印，然后右转到大厅靠东北角的一个小柜台："给我复印这篇文章。"

"哪篇？"

"这篇。"

"是乳腺癌这篇是吧？"

我不说"是"，只是点头。我怕自己一旦说出"是"字，天就塌下来了，自己就不会说话了，一颗巨大的棉花就永远地卡在嗓子眼里了。我不想天塌下来。我还想活下去，领工资，养父母，养女人和未来的孩子。那个巨大的棉花不能塞进我的嗓子里，我还想朗诵，我还想唱歌。

我用三天的时间把1986年1月1日到1999年3月30日的《深圳特区报》全部查了一遍。发表在1999年1月19日的一篇新闻引起了我的注意。文章名字叫：乳腺癌并非不治之症——从李宗仁夫人之死谈起。

我欣喜的是，"乳腺癌并非不治之症"这九个粗黑大字。我以前是多么的讨厌每次给单位写文件的标题都要用粗黑字体啊。可这是第一次发现，笨笨的粗黑字体真是那么的可爱，可亲可敬。

我悲伤的是，文中写道："当确诊为早期乳腺癌，决定为她采用手术和放射治疗的措施时，她又因为手术后将失去一侧乳房会影响体态美拒绝了手术治疗。"

为什么一定要手术？

为什么？

9

走出图书馆。我去见女博士医生。

我把自己三天在图书馆复印下来的资料给女博士医生看，然后问："陈苗才二十三岁，怎么会得这种东西呢，再说了，她也不胖啊。"

复印的资料里最上头的两篇文章标题是：《妇女更年期当心乳腺癌》和《肥胖女子要当心乳腺癌》。

女博士医生说："乳腺癌的发病是多种综合因素形成的，内因是遗传突变，外因是各种有害物质，如化学物质、物理辐射和病毒侵害，以及生活方式和饮食等。当然，肥胖妇女和成年妇女是最高发的人群。"

女博士医生还说："另外，陈苗说自己小学就有了第一次月经，这说明什么，说明很早的时候，陈苗体内的雌激素就在刺激乳房增生，形成病变。"

我眼睛只看着一个地方，那是小木桌上的烟灰缸。烟灰缸上有一对可爱的卡通小孩子，牵着手在看星星。小孩子的脑袋是那么大，而身子却只有一小截。

"那还是必须要做手术？"

"是，这是最佳方案。"

"哦。"

我把女博士医生送到门口，又问："那我该怎么告诉陈苗，直接说，'你得了那个东西吗'，还是怎么说？"

徐大夫说："我的观点是，直接说吧，因为她迟早是要知道的，而且这还要涉及手术，她也是个大学生，难道要做手术了还不知道自己是在干什么。遮遮掩掩的不是个长久办法。"

"那好，我来告诉她吧。"

一杯咖啡下肚后，我感觉更是饥饿。一看时间才八点，我直接拐到医院后面的川菜馆要了两个菜。

人多，菜慢。我等不及了，咣咣就喝下了一瓶啤酒。菜终于上来了，啤酒小姐问："先生还要啤酒吗？"

"再来一瓶！"

两瓶啤酒下去之后，我彻底地趴下去了，睡着了。

刚开业不到一个月的川菜馆的小老板可能永远都能记住这件事和我。小老板使劲摇我都不管用。我仿佛是要永远地睡下去了。小老板大喊："啥子回事哟，赶快把他送医院，出了大事，我这辈子就完哟。"

三个胖大厨把我抬进医院大门的时候，正好碰到女博士医生穿上白大褂要准备下去查房。一看被抬的人是我，她立即叫护士："先把这人送去急救，住院办手续的事我来负责。"

我像死猪一样被平放在床上。护士和医生一边掐人中一边用听诊器听心跳。小老板眼睛睁得大大的，嘴里直颤抖："医生，没得事吧，医生，没得事吧，我们的饭菜都是卫生的，我们没想到这小伙子的酒量这么差，要是知道他不能喝的话，我就不叫啤酒小姐给他推销啤酒了。"

女博士医生进来了，了解情况后，对小老板说："先到外边等着，医生要工作。"

护士说："你这朋友太疲劳了，属于短暂性休克。"

就在这时，我的手机响了，"嘟嘟嘟"一直响一直响。

女博士医生看了看，手机屏幕上显示"家"，号码是0755开头，心里便猜到了是谁打来的电话。

女博士医生迟疑了一会，按下绿色"YES"键。

"你好，我是医院的徐大夫。"

"啊？哦，哦，徐大夫你好，你好。"

"你男朋友雷米喝酒喝醉了，现在在医院里，我正好碰到，就过来看看他。"

"怎么会喝醉了呢？"

陈苗很快打车来到医院。我仍在睡眠中，那么香，那么沉，连呼吸都减慢了。护士说："就让他多睡会吧。"

在走廊里坐立不安的小老板见有家属来，立即又重复了一遍："我们的饭菜都是卫生的，我们没想到这小伙子的酒量这么差，要是知道他不能喝的话，我就不叫啤酒小姐给他推销啤酒了。"

陈苗问："他是一个人喝的酒？"

小老板说："是的，是的。"

陈苗是聪明的女孩。这个当年仅差三分就登上当地高考状元、奥林匹克数学竞赛一等奖得主怎么会没有一点预感呢。

陈苗转身看着女博士医生说："如果你知道真相，请告诉我。"

女博士医生看着陈苗，这姑娘的眼中有一种不能拒绝的东西。

女博士医生跟陈苗说："那好，我相信你，来我办公室吧。"

在办公室里，女博士医生打开一个抽屉的锁，拿出一张白纸交给陈苗。

这是一张非常普通的十六开白纸，白中带点淡黄。这张纸的上头写着"诊断书"三个加黑宋体字。纸中间的"诊断结果"栏上写有三个用黑墨水的钢笔字。这三个钢笔字的笔锋是那么的犀利，就像一把剑，可以跳出来，直接插入人的胸膛，让人窒息。

陈苗的嘴始终想说些什么，却一直没有发出声来。

陈苗把十六开纸交给徐大夫，然后说："我去看看他醒了没有。"

我仍在睡眠中，一直到第二天早上才醒来。我醒来后发现自己昨天晚上一直在做一个梦：我回到大学校园当了老师，陈苗是我的学生。陈苗长得很漂亮啊，天天穿着绿色的裙子来上课。我每天上课都不敢点陈苗的名字让她回答问题，生怕自己一喊出名字不知道接下来该说什么。可却发现陈苗每堂课都在对着我微笑。一个学期快结束了，有一天我问陈苗同学，你为什么这么爱笑的。陈苗同学除了笑还是笑。这时候班里同学也全笑起来了。——原来，陈苗同学是个哑巴。

10

我休假二十六天。按事业单位管理办法规定，参加工作未满一年时间的我，是不能享受二十天加往返路程的探亲假的。更何况学校，一个萝卜一个坑。但学校领导发现我身体一天天没有原因地消瘦下去，还是在休假申请上签上了"同意"二字，让丁老师替我的课。

我休假是想陪陪陈苗。徐大夫说，手术可以延迟到8月再做，第一现在天气太热，不合适手术，第二你女朋友的情绪尚未稳定下来，也不是手术的最佳时期。为此，陈苗也推掉了银行那边的工作。

而那二十六天里，陈苗的情绪是喜怒无常的，而且这所有的喜也好怒也好都是跟一个东西有关，那就是乳房。

五一劳动节放假三天，内地很多市民已经涌入深圳观光旅游。我想了想，华侨城几个景点陈苗都去过，这次就带她去大梅沙海边游游泳吧，在海边长大的陈苗天生一游泳健将，我还是陈苗教会游泳的呢。再说，面对宽广的大海，人的心情自然会平静和舒畅很多。

陈苗答应了。我开着从朋友那里借来的车上了路。就在车开到沙头角的时候，道路两边开始有人站在路边兜售泳装。这时候，我才发现自己一时心急忘记给陈苗带泳衣了。

我正要停车买泳衣，陈苗喊起来了："回家，回家。" 我问陈苗："怎么了，马上就到了啊。"

陈苗一个劲地说："不想去了，不想去了。"

我依着陈苗掉头往回走。看着我一副委屈的样子，陈苗说自己受刺激了。

"受什么刺激了。"

"受泳装的刺激了，我怕戴那个东西被那么多人看。"

"那有什么了，你不是好好的吗？"

陈苗哭开了："你什么意思啊，我现在是好好的没什么，但按你的意思是不是说，以后我做了手术了，就不是好好的了，就那个什么了？啊？你说啊，是不是这个意思？"

我不知道怎么回答。陈苗钻进牛角里了。

果然，就在车刚钻出梧桐山隧道的时候，陈苗又要我掉头去海边。

陈苗说，对不起，我不应该这么凶你。

我又掉头回去："我也没怨你。"

等再看到路边卖泳衣的时候，陈苗特意让我把车停下来，然后探出个头看那一件件鲜艳的泳衣。我很快挑了一件，可陈苗始终没有买，嘴里老说"不漂亮"。

到了大梅沙，人果然特别多。陈苗似乎显得特别兴奋，拉着我的手，首先就到商店里买泳衣。看了两家店，陈苗最后选的泳衣竟然是三点式比基尼，颜色是最最鲜艳的红色。在挑选的时候。陈苗还故意大声说道："我穿36C的啊，别拿小了。"

我记得在大学游泳池里的陈苗，几乎是整个泳池里穿着最保守的女生。那时候，陈苗叫我陪着去买泳衣，小商品市场转完了一圈都没买成，陈苗嫌卖的泳衣太露。没办法，大学三年，陈苗游泳的时候只好穿着高中时代的那件连体泳衣，上身就是篮球背心样式，下身则有一个宽大裙摆遮住小腹下部的三角地带。整个身体也就露个胳膊和半截大腿。

穿着比基尼的陈苗毫无疑问是当天最艳丽的一朵出水芙蓉。陈苗一从更衣室出来，胸脯就一直挺得高高的，看得沙滩上的男人一双色眯眯的眼睛都会拐弯了。陈苗似乎忘记了后面跟着的我，看哪里人多就往哪里钻，往哪里游。

陈苗的兴奋一直延续到晚上。晚上洗澡的时候，陈苗破天荒地只穿着内衣出来了。我看陈苗，迎上去抱了个满怀。

陈苗转过身去，让我从背后抱着她。陈苗就把我的手放到了两只乳房上。这个微妙的动作突然让我发现，这一次抚摸是如此不同。

这一次抚摸，我是经陈苗提醒的。

这一次抚摸，我的手是机械的。

这一次抚摸，我的眼神不再是迷离的。

这一次抚摸，我大脑一片清醒。

我的左手总是想探探那个硬块，那个边界不规则的硬块。

我的左手始终没有滑到左边乳房的底部靠腋窝的位置，始终没有。

那里有刺吗，那里有地雷吗，那里有电击吗？为什么不去抚摸它，为什么！

其实，陈苗也感觉到了自己的异样。

被抚摸的陈苗，没有像以前那样慢慢闭上眼睛。

被抚摸的陈苗，没有像以前那样把自己的手按在我的手背上，暗示力量的大小和前进的方向。

被抚摸的陈苗，没有像以前那样三分钟之内迅速转过身来紧紧抱住我。

被抚摸的陈苗，没有像以前那样踮起脚来猴急地要吻我。

被抚摸的陈苗，没有像以前那样开始有节奏地撞击我身体最坚硬的部分。

我和陈苗都发现了这一次抚摸的异常。大家没有说话，而我则努力地告诉自己集中精力，让自己跟平常一样，进入状态。陈苗也做着努力，开始闭上眼幻想。

那天晚上，黑夜就像一个老人在叙说他的一生，絮絮叨叨，漫长而艰难。

11

学校班主任给陈苗打来电话：月底之前一定要把协议书寄回学学校，二十七号早上照学士服相和毕业照。

不知道现在的大学生毕业还要不要寄协议书给学校了。反正我、陈苗读书那会是要的，在规定的时间里不能给学校寄一份协议书，表示你已经找到接受单位的话，学校会把你的档案寄回老家，

"从哪里来，回哪里去"。一个堂堂大学生读了四年大学，哪有让档案从北京寄回县里、镇里或者乡里的，那多丢人哪。那个时候就是这观念。

我这才想起，陈苗还是个大四学生，还有找工作这天大的事情没完成。陈苗也开始急起来，埋怨自己当时不应该轻易推掉银行的工作。银行的体检又没有"乳腺检查"这一栏啊。

不过，我还是找了很多人帮忙找工作。可是你想啊，都五月了，接受应届毕业生的单位早就定好人了。

这或许是陈苗在深圳受到的第二次打击。我从来没有见过陈苗如此急躁过，不找了，不找了，再也不找了，什么狗屁公司。那天上午，陈苗把一大本求职简历撕得粉身碎骨，扔在空中，洋洋洒洒。

我能说什么，除了轻声安慰。身体出了问题，又碰上求职自信受挫，再淑女也会撒野的。我想起博士女医生交代的一句话："稳定的情绪对病人非常重要"，不知所措。

陈苗跟我坦白了自己的心思。陈苗说："我也想和你留在深圳，但恐怕是不行了。"

我说："再试试吧。"

"不用了。我已经感觉自己不能适应深圳的快节奏了，因为身体的原因，我怕自己受不了深圳这个城市存在的压力，你看你一个学校老师都这么多的事情，这么多班要加。"陈苗说。

我看着陈苗，总想说一些鼓励或者挽留的话，但却被堵死在口中。

"我回青岛吧。我已经把我的病跟父母说了。父母说，希望我回去，一来内地工作清闲，二来有父母照顾。"

我说："回青岛也要找工作啊。"

"我爸说只要回来就有工作，他找好了关系。"

脑子像要崩裂了。我坐在地上，不知道该说什么。

仿佛一股神秘的、未知的力量在拉扯着我。

害怕吗？

怕什么呢？

为什么怕？

陈苗说："二十四号回北京，因为要提早三天回去，还有很多朋友要告别，有很多东西要收拾，图书馆借的书也没还。"

我说："再待两天吧，我想和你多待两天。"

陈苗说："好。"

那两天，我和陈苗哪也没去，默默起床、读报、买菜、做饭、晚上手拉手散步，走了很远。

1999年5月26日上午九点四十五分，大四学生、美丽的青岛姑娘陈苗登上了中国国际航空公司的波音777飞机，直飞祖国的心脏——北京。庞大的民航客机，你就这样把我的爱情带走了。而且是，永远地带走了。

那一整天，我就坐在深圳机场的草地上，一动不动，望着天上的飞机，飞来飞去，飞来飞去。

12

毕业后，陈苗给我写来了第一封信：

　　吃完散伙饭，我就背着行李去了北京站。我是班里第一个离开学校、离开北京的同学。通往青岛的火车，晚上九点零八分准时发车。那天晚上送我的同学有三十多个，站台票都买了一大吞。不知道为什么，我在登上火车的那一瞬间，竟然没有掉下泪来。倒是班里的唯一一对情侣哭了，因为对于他们，毕业以后就意味着失恋，那几天的火车站不可避免地要一轮一轮地上演剧情，是主角不同的悲剧。不知道有多少眼泪洒在站台上。

回到青岛，父亲很快就给我找了一家单位，也是学校，是一个职业中专，做团委工作，比较清闲。

我常常做梦，梦见我们被单位淘汰了，重新发回北京读书，我们竟然成了同桌。

有时间来看看我们青岛啤酒节，和我。

三个月后，陈苗又来了一封信：

工作很开心，每天跟一帮高中生做活动，觉得很阳光。

手术做完了，你给我寄来的有关资料我都收到了，我自己的身体我自己清楚，以后你就别去收集了。你也不用每次打电话提醒我记得吃药。

你好好休息，有时间休假就回家看看父母，不用来看我了，深圳到青岛坐火车不方便，还得去广州转车，就是坐飞机也要很长时间，还费钱。

等以后有机会出差再来看我吧。或者，学校放假了，我去深圳。

这封信让我产生了强烈的念头，要去看看陈苗的。爱情似乎快要走到尽头了。

1999年12月31日下午三点，我直飞青岛。我拨通了陈苗学校团委的电话，然后平静地说，我在青岛五四广场，我想见你。

我忘记了自己去的地方是地地道道的北方。五四广场上正下着铺天盖地的大雪，没有两分钟，广场上那个红红的火炬雕塑就变成了白萝卜。只穿着一件毛衣的我瑟瑟发抖。

半个小时后，陈苗一身花棉袄出现在白色世界中。陈苗还是那么漂亮、鲜艳、饱满。我踏雪奔去，我是多么想一步就蹦到这个姑娘的面前，张开手抱着，转上几圈，然后狂吻那温暖的脖子。

陈苗就在面前，没有接受我的拥抱，拉着我的手就上了出租车，然后问司机最近的酒店在哪里。"大冬天，你怎么穿这么少，真的的。"陈苗埋怨的语气中，充满浓浓怜爱。

"让我抱抱。"在酒店房间里，我发出请求。

"我怕让你失望。"陈苗紧紧地推着我的手，眼泪滚滚而下。

我伸手从后面揽过去，想从后面抱住她。

陈苗跳开了。站起来，从正面贴上了我。

一座突兀的山峰和一片空荡荡的草原。

一边是激昂的进行曲，一边是低缓的琴声。

我的身体在发抖。压抑的泪水，訇然决堤。

窗外的白雪，扑扑地打在窗户上。

那天晚上，我穿着陈苗买回来的雪山羽绒服在五四广场走了半个晚上，看那些鹅毛大雪是怎么把两个人留下的脚印一次一次地覆盖上。两个人对天老爷赌气地说，我就不信，大雪能下一个晚上；我就不信，不能留下我们的脚印。

事实上，那天的大雪一直下到第二天早上。所有的努力终将不复存在。

聊到一点，两人困得不行了，只好回去，打开酒店房间的门，和衣共枕睡了一个晚上。

第二天，我就回到了深圳。陈苗说："你早点回去吧，元旦，父母要带我去看即将离开人世的外婆。"

送我上飞机的时候，陈苗交给我一个白色信封，让我上了飞机以后再看。

这封信是陈苗写给我的最后一封信。信很短：

> 很可惜不能多陪你几天。很可惜没带你去看我的学校和工作，我的生活真的很开心，很平静。你就放心吧。
>
> 我很感谢你，从一开始就对我这么好。可惜我没有平等地给你。
>
> 青岛是很漂亮的。可惜这次碰上了这么大的雪，漂亮都被覆盖了。我将永远留在这个我出生的家乡了，你在深圳多保重。

信的最后，是一个手机号码。

飞机居然没有因为大雪误点。我把信读完，向机窗望出去，一片茫然。

此时，飞机上响起空姐悦耳的声音：今天是1月1日，欢迎你乘坐我们的班机，祝您新年快乐，旅途愉快。

13

故事讲到这里，我都不想继续了。我总觉得我是一个懦弱、自私的男人。哪怕我马上就要出发了。

然而，在出发之前，我还是逼着我走一趟时光隧道。过去的时光它也有生命，它一直在岁月的暗处，不曾消失。

14

陈苗之后，我遇见了甘蓝。

那年五一，学校要搞十周年校庆晚会，市领导出席，挺大的事。分给我的工作是，联系新闻单位和现场摄像。那个时候，因为给学校写过两篇报道，学校把我调到校长办公室工作。

联系新闻单位好办，一个电话过去，人就屁颠屁颠地过来了，十周年好歹是个新闻，而且少不了红包奉上。学校的机器坏了，现场摄像有点问题。我想到曾经打过交道的市教育局影视中心。

所谓的影视中心不过是三个人的中心，一个主任，一个编导兼主持兼撰稿还兼自己的化妆、一个摄像。

徐主任把我介绍给了编导和摄像。

"这位编导靓女姓余，名甘蓝，甘，甘甜的甘，蓝，蓝色的蓝。我们甘蓝还是个心理咨询师呢，以后失恋了找她，哈哈。"

我先弯腰再握手。当时，甘蓝手里正握着鼠标，屁股抬起了二十厘米，握完手后就又坐下去忙了，一头长发遮住了半边脸。

"这位摄像猛男叫鲁伟，一看就知道是个艺术青年，可惜也要开始过凡人生活了，马上就要当爸爸了。"

"恭喜恭喜。"我再次握手。

徐主任跟甘蓝说："甘蓝啊，当时我们就是说借调小雷过来的，可他们领导不放人。"

甘蓝这才第一次正视我。甘蓝把头发拢在耳后，我看到她脖子上那串木头项链。我不知道为什么，当看到那么一串古铜色的东西贴在白白的皮肤上时，心里突然涌出一阵安详和从未有过的宁静。

晚会那天，巧对巧，鲁伟临时有事，甘蓝摄像、撰稿一肩挑。

甘蓝扛着机器找到我。我正在电话里给报社一个摄影记者指路："找到酒楼先吃饭。"

我要接过甘蓝的机器。甘蓝说："不用了，这玩意儿娇气得很，还是我来照顾吧。"

甘蓝是百变女郎。那天下午，用"英姿飒爽"这个词来形容甘蓝是最合适的了。她穿了一条带迷彩花纹的军绿色口袋裤，脚下是一双蓝色的帆布鞋，上身则秀气了一些，套了一件ESPRIT背帽子的短袖T恤，右手腕套着一个黑色的护腕，护腕上的一个小勾印在上面。甘蓝的头发被扎了起来，后面的分开，作为两把马尾，分别搭在两边的肩上。唯一熟悉的是，脖子上那个木头还在，温顺而安静地趴在上面。

"甘蓝，我觉得下一次的海湾战争你可以出去代替水均益他们做两期节目。我一看到水均益那副凝固不变的表情就不想看电视了，为什么战争直播节目不可以播得轻松点呢，为什么不可以放几个漂亮美女主持上去说战火呢？你想，一个美眉播战争，伸出细滑的胳膊比划战争局势，多有意思，那收视率一定高。"我要要贫嘴。

"说白了，你不就想看美女主持嘛。"甘蓝"哼"了一声。

节目开始了。甘蓝夹在一帮牛高马大的摄影记者中间显得十分有趣。摄影记者都是在节目的高潮的时候才端起相机抓一两个镜头，而甘蓝却要每一秒钟都要对准舞台，在节目与节目中间还得要抓几个观众的笑脸。

抓观众笑脸的时候，甘蓝老把镜头对准我。我就笑，越笑，镜头固定的时间越久。这个甘蓝。

就在节目快结束的时候，天下起了小雨。记者们拿了通稿都回去了，就剩甘蓝一个人还在拍摄和抓笑脸。

我赶紧过去，找来一把伞打开撑在甘蓝的头上。甘蓝说，伞往前移点，别湿了镜头。我的手就往前伸了点，我看到甘蓝专注的眼神和出了细汗的半边脸，还有扑扑闪的睫毛。我闻到了从甘蓝后颈窝传出来的热气和清香。

雨越下越大，好在这是最后一个节目了。我护着甘蓝走到舞台后面一个可以挡雨的休息室里。

我问甘蓝："累不累？"

甘蓝说："不累，领导更累。"

"苦不苦？"

"不苦，为人民服务。"

"渴不渴？"

"渴！"

我找来一瓶矿泉水。甘蓝还在回看画面。我让甘蓝手不要放机器了，直接张嘴。然后，我把水轻轻灌进了甘蓝的大嘴。甘蓝咕咕咕儿下，透了一口气说："我还要。"

副校长打电话过来问："你们在哪里，没看到你们啊。我们已经上了车，你们自己解决吧。"

"完了，没车了。"我说。

"哈哈，都怪我这么自恋，老回看画面。"真不知道那天，甘蓝是真不累还是假不累，竟然提议说，"那我们坐公共汽车吧，你送我。"

那天晚上，大雨哗哗地下。我打着雨伞保护着甘蓝，甘蓝保护着摄像机，风雨同行。一边等候双层大巴，一边跳着闪避被车辆溅起的泥水。

双层大巴来了。可能是因为大雨天气，车上居然没有一个乘客。"专车"就载着我和甘蓝一路开过深南大道。夜风轻轻吹，大巴里传出电台播放的姜育恒的老歌：

经过了许多事

你是不是觉得累

这样的心情

我曾有过几回

也许是被人伤了心

也许是无人可了解

现在的你我想一定很疲惫

......

滂沱大雨砸在车窗玻璃上。前面的红绿灯没有了信号。一时混乱的交通让笨拙的大巴陷在城市中央，动弹不得。

甘蓝哼着歌，问我："我不着急，你着急吗？"

我也哼着歌。

15

一场爱情不可避免地发生了。

甘、蓝。我禁不住在雨夜中自言自语地叫出了这两个字，然后又忍不住想笑，想放声高唱和朗诵，甚至还突然想打电话给很久没联系的大学同学。

我开始频频向甘蓝发出邀请，甘蓝似乎也没怎么拒绝，一句"好啊"回答得让我心花怒放。

我们固定在一家"名典咖啡"见面，顺带把午饭解决掉。"名典咖啡"很安静，连服务员的脚步声都很轻，人也很少。两人坐的是竹制的摇摇椅，身体固定不了，把心情也摇得一晃一晃的。

　　每次，我都有些后悔来这么安静的地方吃饭。过于安静的气氛最容易让一个人的言行举止直接表达出内心的想法。真的不知道该说什么好。望着距离自己不到半米的甘蓝，我只有不时地微笑，或者拿纸巾给她抹去玻璃上的茶水。但那样的正午，水般迷人。窗外总有一只知了在断断续续地叫着，声不大，甚至有些爵士乐般的沙哑与质感。

　　一个月后，知了突然哑了，也不知道是不是飞走了。甘蓝抛出一句话："我告诉你一个事实：我其实比你大好几岁，我结婚了。"

　　"名典咖啡"窗外的木棉树下跑过一群孩子。这群孩子抱着木棉树一摇，一些花就掉落在地上。6月，木棉的花期快结束了。

　　我是真的吃了一惊。一个月都快结束了，我不仅连甘蓝的实际年龄都不知道，对方结婚了就更不知道。

　　甘蓝望着窗外，继续说着话，仿佛自言自语："有次你送我下车的时候，把车往前开了一点，正好是一片树荫。你说'以免阳光骚扰到你可以做广告的皮肤'。这个细节让我觉得自己很久已经没有得到一个男人的关心了，或者说爱了，就像一片干枯的沙地突然有一滴雨露掉下来，可能只有一个沙子获得了滋润，但所有的沙子都会围过来，张开大嘴渴望奇迹，同时那一颗幸运的沙子的渴望会更强烈。我就是那颗幸运的沙子，而且奇迹发生了二十多天。"

　　"我是那滴雨露吗？"

　　"是的。是你一个细小的动作唤起了我的麻木，婚后的麻木。那天夜里，我突然觉得自己原来是如此需要一个男人的关心，哪怕是一个很细小的动作。"

　　"难怪我每次晚上约你出来，你总是说有事。"

"是，晚上我得回家，我不知道怎么向家人说谎，解释我为什么要出去或者那么晚回来。而且……"

"而且什么？"

"而且我不能放任自己，我想控制自己，包括中午的约会。"甘蓝扭回头，看着我。

"但你发现自己也控制不住了。"我直视着。

"是。"甘蓝再次扭开了头，"我很矛盾。我害怕自己一旦告诉你真相，连中午都没了。我渴望得到跟你在一起的快乐，更恐惧失去快乐。但我知道这么一天迟早会到来。"

甘蓝是美丽的。无论是高傲的时候还是忧伤的时候。长长蓬松的头发总是遮住一小半脸，大大的眼睛被长长的睫毛覆盖着，像是要睡去，又像是刚刚醒来，有一点慵懒有一点甜美。

这次是我扭过头去看窗外。光阴似箭啊，转眼毕业多年，转眼跟陈苗分手两年了，转眼跟甘蓝认识一个月了。这一个月里，一个美丽而爽快、冷酷而妩媚、成熟而优雅的女子——不，是女人，或者少妇——闯进了自己的生活。这个女人骨子里透露出的风情让我迷恋。

事隔多年，直到今天，我都感到奇怪，我和甘蓝最后都谈到结婚的地步了，但却从来没有和她有过任何亲密的接触，包括牵手。

16

无法自拔。

每天中午，"名典咖啡"依旧迎接着两个地下情人。依旧没有多少话，但内心却那么害怕一日不见。

一个中午，接到学校电话说，所有资助过丽江失学儿童的人要去丽江家访。也就是说，我将要去小吉玛家去看看，去山区里的学校看看，当然主要是去丽江旅游。

"什么时候去，去多久？"甘蓝问道。

"明天中午的飞机，下周五回来，一个星期加两天。"

"哦，那么久……那要好好玩下。"

甘蓝的眼中充满了忧伤和疑虑。甘蓝一发呆的时候，头发就掉了下来，遮住半边脸，让人不知道这个女人在想什么。是悲伤还是喜悦，是哀愁还是欢欣。

"那你要准备一些东西，丽江还是属于高原地区的，不是去桂林，带身衣服就可以上路了。"甘蓝喝了一口水说，"走，我带你去买些东西。"

我跟在这个比自己大三岁的女人身后，然后进入一家户外运动用品店，买了一件透气性极强、防水吸热、两面可穿可拆的高原服、一副防风镜。

甘蓝说："上玉龙雪山的时候一定要穿这衣服和戴这风镜，因为雪山海拔高，而且紫外线强烈，有了这就不用租山下那些又脏又难看的服装了。"甘蓝拆去防风镜包装，亲手给我戴上，说，"不错，酷呆了。"

甘蓝又问："你家里没有防晒霜吧。"

我摇头。

甘蓝说："那用我的。"

一瓶小巧乳白色的瓷瓶就到了我的手里。那是甘蓝刚用过两次的防晒霜。

这足足一个小时，我没有说一句话，只是跟在后面。甘蓝像一个妈妈一样，领着我把事情做完。

就在甘蓝给我戴上眼镜的时候，我闻到一股香草的味道从她领口中传出来。这种香味，我在小学的时候闻过，每当六一儿童节的早上，高年级班里最漂亮的文娱委员就会过来给低年级、笨手笨脚的小朋友系红领巾。小时候的我最渴望的就是这么一天，看着漂亮的姐姐在自己胸前弯下身，仔细地打着结。我会看到漂亮的姐姐脖子上挂着的晶莹的贝壳项链，会闻到一股由下而上冲出来的香草味道。那个高年级的文娱委员成为少年我的最浪漫、最奢侈的梦想。

第二天中午，二十名资助失学儿童的代表在市教育局楼下集合，统一坐大巴去机场。我不时地抬头看甘蓝工作的那层楼，希望这个中午也能见上一面。

可是甘蓝一直没有出现。或许是人太多了，甘蓝觉得不方便；或许是一别就是一个多星期，甘蓝不知道说什么好；也或许是其他什么原因，比如甘蓝想通过这段时间让两个人冷静下来，永远做个了结。

我死也不相信是第三个原因。不可能，绝对不可能。

爱情真的可以让人发疯。

我一路上把自己的思念用手机短信息和电子邮件的方式发给甘蓝。

"我爱上了你，而且是疯狂地爱上了你。"

"我不想说对不起，因为这是一件令人心动也是令人幸福的事情。"

"我要抓住你。我要抓住属于我们两个人的幸福和快乐。"

17

在丽江的头一个星期里，分成四组的二十位深圳爱心使者都是在疯狂地玩，玉龙雪山、香格里拉、牦牛坪、泸沽湖、虎跳峡、长江第一湾、黑龙潭、玉峰寺、白沙壁画、冰川公园大索道，个个在当地政府地招待下，玩得不亦乐乎。只有第四组成员的我跟在后面，频频低头给甘蓝发短信："太漂亮了，要是你来就好了。"

最后两天才是家庭拜访，爱心使者必须在资助的小孩的家里住一个晚上。

小吉玛一家早就在乡政府门前等着了。县政府的面包车刚一停下，小吉玛就奔跑过来了，兴奋地喊道："雷叔叔，陈阿姨呢？"

这小姑娘还记得陈苗。每次汇学费过来的时候，我在汇款人一栏上都会加上"陈苗"两字，当初决定资助小吉玛时陈苗在场，不能少了她的名字。可如今，陈阿姨跟小吉玛一样，离开深圳已几年了。

我抱了抱小吉玛，然后向她的父母走去，伸出手。

两个朴实憨厚的家长竟然不知道握手，只是呵呵地笑。整个过程中，我才发现一直都是小吉玛的妈妈在说话，在回答乡长的问题，而小孩子的父亲只是站在后面笑而不语。我这才想起，小吉玛也是摩梭人家，当地的婚姻风俗实行的是走婚，是母系氏族的生活方式，女人的地位高过男人，男人和女人结婚后白天各自在各自家干活，只有到了晚上才在一起，只有感情关系，没有经济利益关系，非常纯洁的一种婚姻制度。

很快就到了晚上，小吉玛的母亲做了三个菜，一是鸡蛋、一是牛肉、一是白菜，主食是米饭。吃饭的时候，我发现只有自己是在吃米饭，她和母亲吃的是糠巴。父亲果然没来，父亲在自己母亲家里吃饭。

吃完饭后，小吉玛的父亲就来了。端了两张木凳，一张给我，一张给孩子她妈，坐在家门口乘凉。门口就是一个大湖，湖水在月光下绿油油的，美得没话说。我习惯性拿出手机要给甘蓝发短信，才发现根本就没有信号。

小吉玛的父亲看着我，笑啊笑的但却不说话。我也只好回了一个笑。小吉玛母亲端来一碗酥油茶，就在我抬头起身要接茶的时候，我发现小吉玛的母亲的胸部非常的平，几乎看不到任何女性凸起来的特征。一阵风吹过，深蓝色的衣服一飘一荡的，更是明显。

没坐多久，我就跟小吉玛的父亲回房睡觉了。房里有两张床，我和小吉玛的父亲一人一张。

小吉玛的父亲说，其实他们两家经济条件都还可以，可是十年前，小孩的母亲就得了一种病，花了两家人很多钱，最后落得小吉玛读书交学费都成了问题。

两个男人就这样在黑暗的房间里交谈，小吉玛的父亲给了我一支烟。黑暗中，两点红光忽明忽暗。

小吉玛的父亲说："吉玛她妈妈的病在奶子上。"

我已经从床上坐起来了，背靠在木头做成的墙上。木头散发出一种原始的很干燥的香味。当听到"奶子"这个词语时候，我才发现坚硬的木头硌着自己的背，硌疼了。

小吉玛的父亲说："那年，女人一到晚上就说那两个地方疼，碰都碰不得，一开始还以为撞了鬼了，连着几个月都请人偷偷地在家里做法事，以驱除妖魔。女人硬是疼了一年都还是在疼，后来县里有卫生队下乡，一家一户来看病。女人才躲到房间里给一个女医生摸了一次，出来后，女医生就让女人跟着医院的车去了县医院，然后又去了丽江市的医院。"

说到这里，一直在想一个词语的小吉玛的父亲才说出了"乳腺癌"这三个字。

小吉玛的父亲接着又点上了一根自己的烟。那是一种需要自己卷的烟，把烟丝包在一张小纸上，然后用口水卷起来，点燃。黑暗中，我只听到小吉玛的父亲在轻轻吐口水的声音，然后就看见一个粗大的红火点在黑暗中亮起来。

我问得很小声："那后来呢。"

小吉玛的父亲说："割掉了，两个奶子都割掉了。"

无比漫长的平静和沉默。小吉玛的父亲的烟不知道什么时候熄灭了。对方没有一点声音，我怀疑对方睡着了。一个很小的木窗正对着一个小树林，月光暗淡了下去，树林被风吹得左右摇摆着，不见树，只见影，不见风，只有声。

"睡了吗？"我小声问。

"你们城里人有这种病吗？这种病是怎么来的啊？你说怎么偏偏病在那个地方呢？为什么还要全部割掉呢？"小吉玛的父亲说话变得大声起来。我觉得自己没法承受这么大的声音。我"啪"的一声打燃打火机，四处找自己的烟。

烟掉在地上了。我下床去捡，却一不小心掉下床来，屁股先落地，手被木板的角划了一下，火辣辣地疼。

我点燃烟，坐在床上。我说："城里更多这种病，发病原因我也不清楚，但是割掉了对病人有好处。"

小吉玛的父亲"哦"了一声说："我以为就是农村里才有呢。"

我问："当时你们走婚有几年了。"

"哪里有几年，刚开始不到半年。"小吉玛的父亲声音恢复低沉的调子，"不过族里已经给我们做了仪式，村里的长辈都知道我们在走了。"

"后来呢？"我问。

"后来……"小吉玛的父亲也坐了起来，"后来，我就陪着去医院，县里、市里、后来还去了省里的昆明，等着做手术，做完手术后每天晚上熬一个晚上的药材。好在手术之后，她还能做事干活，不受影响，看到这一点我也就高兴了，因为当时小吉玛已经一岁了，他们家劳力少，她不能和小孩一样在家坐着要吃。"

轮到我在艰难地寻找准确的表达方式了。我忐忑不安地问："你们睡觉的时候怎么办？"

小吉玛的父亲笑出声了："习惯了就好了，她又不是那个地方被割了。身子热起来了，哪会想那么多。人总是有感情的嘛。"

我这一辈子都会记住在黑暗中听到的这不到半分钟的笑声。那是最原始、最有男人味、最厚重、最悠远的笑声。

此时，手机在黑暗中亮了起来。一条短信息：还好吗？

甘蓝！

18

我们宛如战友。

多少次，走出咖啡厅，突然下起滂沱大雨。我们湿淋淋地并肩走在一起，没有手拉手，而是步调一致地大步前行。

在咖啡厅里，我说："我已经疯了，我只知道这个世界上只有你和我，没有其他人。"

甘蓝总是不多说什么，但她会把滴有水珠的手放在玻璃桌上，压住它。她从中感受到力量，感受到那滴水珠被自己击败，拿开手一看，水珠不见了。

"你应该去离婚。"这句话一说出口，我连自己都震惊了。这句话埋藏了很久，没想到一说出来才发现是那么的不合时宜。离不离婚，那是甘蓝的事情。一个第三者，凭什么说"你应该"。你啊，你是第三者，你是个疯了的第三者。你比当年的徐志摩还徐志摩，追林徽因、追陆小曼，你总有死的一天。

但我控制不了自己。

甘蓝一天天被软化。两个月的时间里，甘蓝始终戴着枷锁在跳舞，慢慢地，枷锁被磨得越来越光滑，圆孔越来越大，似乎只要大喊一声，枷锁就裂了，旧时光永不复来。她开始讲述她那干枯的婚姻。但我根本不关心这些。

很久之后的一天，甘蓝说："国庆节之前，我和他离婚。"

我说："好。"

中间是两个漫长的月份。我每天早上醒来的第一件事就是照镜子，看自己是否还能笑得出来。我生怕自己有一天笑不出来，那真是说明自己是一个疯子，在做着一件荒唐的事情。

我每天都在笑。我觉得自己根本就不是第三者。

战争马上打响。

一个深夜里，睡不着，摸黑上网。我点开了一个页面：《办理离婚手续须知》。

19

终于等来了10月1日。答应写离婚协议书的男人却不在深圳，去了北京出差。甘蓝得到的答复是："10月20日到26日补休7天，到时候写。"

恰好，我的十一假期也被单位抽调到惠州学习全省信息档案工作紧急培训班，学习一套新的办公软件。

甘蓝过了一个一个人的国庆节。所有的东西都已经尘埃落定，只等一阵大风把自己带到梦想的地方去。在那一个人的节假日里，甘蓝第一次觉得内心世界是如此平静，坐在家里做了很多事情，翻出所有有关跟那个男人的日记、照片和书信，付之一炬；翻出所有的鲜艳的衣服都试穿了一遍，再过多久这些艳丽的服饰就要找到新的家、新的欣赏者。所有要带走的东西都清理得整整齐齐干干净净，一心迎接新的生活。

10月3日那天，甘蓝还特地到妇幼保健医院做了一下体检，看了妇科。半年前，甘蓝就发现自己的左乳房偶尔会出现肿痛症状，后来在统一体检的时候，医生说彩超照出来的是小叶增生，属于轻度乳腺增生，随体内激素变化而变化的，可以不需治疗，但要注意情绪调节。

没想到，节假日看病的人那么多，甘蓝挂号排队一直等到下午三点才轮上。一个年轻的女医生先是用手触摸到了甘蓝乳沟边缘上的一个肿块，然后就说，你还得先做个彩超，让医学仪器给你看看以前的增生是否发生了病变。

甘蓝听到"病变"两个字就紧张起来，因为听妈妈说，自己的姥姥的不治之病就是在乳房上。而那女医生又告诉自己，乳腺癌是有可能通过遗传传染的。

甘蓝第二天就拿到彩超结果，医生没说什么，只是说："为了进一步确诊病情，你最好还是做一次活检。"

什么是活检？

活检是指通过手术或穿刺的方法取得活体组织进行化验检查。

甘蓝和千千万万的就医患者一样，进了医院大门，一心遵从医生安排，让她干吗就干吗，不用多问，问了自己也听不明白。于是，甘蓝又做了一次穿刺，看着一根如头发丝细小的钢针进入自己的洁白的乳房里，然后把抽出一丁点儿的不明物放进一个容器里，编上一个号码，算是完成任务了。

甘蓝问："情况怎么样？"

戴着大口罩的医生说："三天后才知道结果。"

甘蓝"哦"的一声，走出不大的手术室。门口的一个中年护士粗着嗓门喊道："下一个，动作快点啊。"

20

我刚刚从惠州回到深圳就接到了甘蓝的电话。我正开着办公室的车走在深南大道上，准备把行李放回宿舍。

"我们算了吧。"这是甘蓝在电话里的第一句话。

"为什么？"一个星期不见，我被这突如其来的一句话搞懵了。

"不为什么。"

"他让你回心转意了？"

"不是。"

"那是什么？"

"我不想说出来。因为一说出来，我们就完了。"

"怎么个完法？"

"你不会再来找我了。"

"为什么？你说啊。"

"你先说你还会不会来找我？"

"我会来找你。"

"我得了乳腺癌。"

那天，深南大道的车是那么的多。那天，深南大道的车是那么的快。那天，刹车是那么的重。

我一脚刹车没踩死，把前面的一辆"大奔"给撞凹了屁股。"大奔"司机，一个秃顶的中年男人，推开车门就对着我破口大骂："你他妈会不会开车啊。"

我把车窗玻璃关得紧紧的。我的手里还握着手机。我听到甘蓝那边也是人声鼎沸，车流汹涌，想必应该是在一个繁华的街头上。

我温柔地说："我撞车了，等会再打你电话。"

越来越多的车积压在后面，烦躁的汽车喇叭声此起彼伏，我突然觉得大家都停下来，安静一会挺好的，于是就握着方向盘，目光呆滞。

两个骑着摩托车的交警就赶过来了。我对交警说，是我的车追的尾。"大奔"男子补充说："他一边开车一边打手机。"

和蔼的交警问我："是不是这样？"

我说："是。"

交警拿走了我的驾驶证说："罚款。"

我说："好。"

我额外取了三千元人民币交给了"大奔"男子，毕恭毕敬地说："对不起，谢谢。"

我发现自己不会开车了，手麻木地握着方向盘，右脚狠狠地踩着刹车踏板，钥匙插了几次都插不进去。我的眼睛突然什么也看不见，除了驾驶台上那只黑色的手机。跟在后面的车喇叭响了好久，我才意识到自己挡住了去路。

我把车停在路边。我拨动那一串组合得毫无规律、却十分熟悉的电话号码。

"你现在在哪里？"我问甘蓝，声音颤抖。我还感觉到手也在颤抖，手机在耳边一跳一跳的。

"我在外面。你不用找我了。"

"为什么？我现在就在找你。"

"不用了。我不想让别人接受这个现实。"

"你怎么知道它是现实？"

"废什么话。诊断书上写着的三个大字，我还不认识？"

"或许事情没有你想象的那么严重。"

"我就知道你肯定就会从这个方面安慰我。见了我之后一样也是说一些安慰的话。我不需要了。"

"那你需要什么？"

"我问你，我有乳腺癌，你爱我吗？"

"爱。"

甘蓝挂掉了电话。我一遍一遍地拨着甘蓝的手机。

一个小时后。甘蓝打回来："你过来吧，我在华强北肯德基里。"

肯德基里那么多人。我还是一眼就看到了甘蓝。甘蓝穿的是我们学校校庆晚会的那一套衣服，只是手腕的护腕换成了一只花手绢。

甘蓝没有一丝笑容，从包里拿出一张纸。这张16开大小、上端印着"诊断书"三个宋体字的白纸，让我一脸发白。1999年的时候，就是这么一张纸，让陈苗永远地离开了深圳。

是的，又是那一栏里写着三个钢笔字。那三个钢笔字写得真他妈的丑，一个大一个小，一撇一捺拖得像鸡爪爬出来似的。

我真的不知道要说什么，连安慰的话都说不出。

甘蓝说："医生说，尽快做一个切除的手术，然后还要每天吃抗雌性激素的药。这些药的副作用很大，甚至会影响到生小孩。"

我总感觉有一股神秘的、未知的力量在支配着我。

我说："再严重，我也爱你。"

不害怕吗？

怕什么！

为何要怕！

甘蓝哭出声，冲了出去。

那天的肯德基那么多的人。大人，小孩，老人；一家三口的，一对情侣的，母子俩的，父女俩的，一个个汉堡包咬得那么香。人人笑容满面，有说有笑。

甘蓝瞬间冲进熙熙攘攘的人群中。我慌忙跑出去，撞到一个男人身上，冰凉的可乐泼了我一身。

甘、蓝。

那天下午，好好的太阳天突然下起了大雨。我好久没见过太阳雨了，把车开上深南路，打开车窗，任雨点飘落进来，打在一张悲恸而扭曲的脸上。

21

人想消失真容易。

我有近乎一年的时间都在疯狂地寻找甘蓝。电话有时通有时不通，通的时候只听到长久的铃声，没有人接。

我给甘蓝发了很多条短信息：

你在哪里，我想见你。让我见见你。

我在QQ上留言：

你在吗？我等你电话。

那个笨拙的"小企鹅"永远都没有闪动起来。

我每天中午去市教育局附近的"名典咖啡"转一圈，然后走到华强北那家肯德基，喝一杯冰冷的可乐。人群中，没有那个熟悉的身影。

甘蓝消失了。

甘、蓝。

数不清楚有多少个清晨和深夜，我打开QQ，疯狂地给甘蓝留言：

甘蓝，我爱你。

22

有一件事，直到现在，我仍弄不清楚是怎么回事。但也没必要弄清楚了。

和甘蓝分开之后，一个名为"乳此动人"的人在QQ上加了我。"乳此动人"总是喜欢给我留一些特别的言。

晚上，我打开电脑。"乳此动人"的留言是：

没事的话做个小调查吧。

调查题目：你对乳腺癌的认识有多少？

·只有成年女人才患乳腺癌

·男女都有患病可能

·男人同样也有乳腺

……

我问："你怎么会发这个调查给我做呢？"

"乳此动人"回答的却是："我本人也是乳腺癌患者，但我很健康，很快乐。"

我直接关了显示器。

窗外一片漆黑，万籁俱寂。

还有一个深夜。"乳此动人"跟我说她自己的故事：

"当时，医生给我四个方案，让我选择。四个方案是：

A. 全切，加腋下淋巴清扫，加化疗；

B. 切掉全乳的二分之一，加腋下淋巴清扫，加化疗；

C. 切掉全乳的四分之一，加腋下淋巴清扫，加化疗；

D. 不做手术，只采用化疗。

不做手术，只化疗，丈夫绝对不同意。他建议采取最彻底最安全的方式，A. 全切。他说你缺了什么我都会爱你。

我选择C。我告诉他我不切并不是为了你，是为我自己。我能接受的最大限度是切四分之一，其实四分之一是一个什么程度，我并不知道。"

我说："那后来呢？"

"后来，还是按照医生的做法，选择了A。丈夫说，按医生建议去做吧，我爱的是你的人和生命。手术做得很成功。但人的心情却低落极了，躺在床上无声地流泪。看到一切能反光的镜面就砸，因为我不能、不敢照镜子。看到一切紧身的衣服就撕，因为那些永远不属于我了。"

"其实，任何一个患者都要经历这么一个恐惧的阶段、神经质的阶段，然后过渡到一个平静接受的阶段。这两个阶段能否过渡顺利，或者说过渡时间缩短，全看患者周围是否有爱。"

"祝你幸福。"我说。

23

午夜。又看到"乳此动人"的留言：

"告诉你一个好消息。我联系了一家内衣公司，他们公司正在生产一种乳贴，就是电视广告里老播放的那种，夏天到了，女孩穿吊带或紧身衣的时候，可以在乳房上贴上一个乳贴，省去了戴透明肩带文胸的麻烦。乳腺癌患者就可以使用它，穿上外衣，就像真的乳房一样美丽，而且也不拍挤压，安全、美观。"

每次留言总让我想起很多东西，我索性关掉电脑，打开电视。

电视里全是有关"5·12"汶川大地震的报道。正在重播白天的内容。

一个穿黄色雨衣的女记者正在地震现场报道：

"一方有难八方支援的情景，在地震灾区随处可见。这里我要向大家介绍一个特殊的志愿者，她本身患有重病，却孤身进入绵竹县汉旺镇。她是最早一批进入灾区的心理咨询师，她叫甘蓝。"

甘蓝？

镜头切换过去，一个熟悉的侧面身影正半蹲在防震棚里，正和一个躺在病床上的妇女说话。

甘蓝！

尽管镜头给的是侧面身影，尽管半边脸被散落下来的头发遮住，但就是她，甘蓝。

我想起最开始认识甘蓝的时候，影视中心徐主任就介绍过，甘蓝是个心理咨询师，有专业资格证的。

瞬间，镜头对准了甘蓝的正脸，那张就是碎了我也能拼得完整的脸。

女记者让甘蓝介绍了在灾区做心理咨询的注意事项。随后全国各省将有大批心理咨询师进入灾区。甘蓝，脸如白纸。

我关掉电视，呆若木鸡。

我打开电脑。QQ上看到了甘蓝！

那只"小企鹅"亮着。

我飞快地打下一行字："你在吗？我在电视上看到你了。"

5分钟之后，"小企鹅"亮了。

甘蓝又出现了，时隔六年。

"雷米：你好，很久不见。一直想告诉你后来发生的事情，但我没有勇气。"甘蓝发来一行字，每一个标点符号都那么认真。

"告诉我什么？我想知道！"我狠狠地击打着键盘。

"医院把诊断结果搞错了，我没有得乳腺癌，是跟在我后面做检查的那名女士得了乳腺癌，医生把活检标签贴错了。"甘蓝回复我。

"为什么不告诉我这个真相？"我几乎喊出声来。

"但我在随后的复查中，查出了另外一个病，也是癌，淋巴癌，晚期。"等了很久，甘蓝打出字来。

我打不出字来。

甘蓝似乎在等待我。好一会儿，字出来："你给我QQ上的留言，我经常去看，谢谢你的爱。那简单的三个字，支撑我活下去，和病魔斗争，否则我根本活不到今天，更不可能去灾区。"

"我去找你！"我抖动着手指，敲下感叹号。

"不用了。我已经离开四川了。身体出现了情况，我恐怕不行了。你别找我，我也不会见你。谢谢你，祝你幸福，雷米。""小企鹅"灭了，甘蓝不见了！

24

昨夜有雨。

收拾好行李。我在一张白纸上写下六位数字，那是我的银行卡的密码。

卡里有四十万。四十万。这是我工作这么多年来绝大部分的积蓄。

我把薄薄的卡片和密码装在信封里，写下"妻子叶欣收"。

25

这次旅行，我想了很久。最后决定还是要出发。

一股神秘的、未知的力量，它总在黑暗中出现。

去哪里？

青岛。

干什么？

寻找陈苗。

上帝保佑。

高速生活

题记：那冷酷而伟大的想象/是你在改造着我们生活的荒凉。By诗人芒克。

1

你是否和我一样，有时候会想，如果过去人生的某个节点发生一点点变化，现在的你，会是另外一个怎样的模样。

我希望自己能回到大学刚毕业那会儿。一身地摊货，全身上下、由内而外也就两百块，只有肩上的包算是高级货，因为它的正面印着一个名字：Gaojipibao。

而不是现在这样。

2

我喜欢六点下班。推开玻璃门，稍等片刻，进入电梯，按下"39"。这个数字排行老二，四十层是360度无敌美景旋转餐厅。电梯里，四壁是不锈钢，可以当镜子。任何一个不爱照镜子的人，都会此刻观察下自己，更何况，一般来说，这个时候，电梯里空无一人。迅速扫描下自己，算不上多么名牌的一身，但也足够称得上

"简约而不简单"。鳄鱼的白色POLO衫，CK的米色水洗裤，Clarks驼色小牛皮鞋，浪琴的白盘手表，没了，就这几样。

黑色提包换个手，一楼到了。穿过琴声萦绕的大堂，一脚迈出去，夕阳扑面。

落日余晖眷顾到每一个人、每一棵树、每一栋高楼大厦，留下母爱般的温情。在深圳这座南方之城，夏日，只有西落的太阳，才是可爱的，其他时间都是凶神恶煞。一般来说，这个时候，我会站在台阶上，停留那么半分钟。不是抖出一根烟，而是感受下美好。一天的工作到此结束，忙碌与疲惫，被夕阳转化成惬意和轻松。

十八级大理石台阶下来，是深南大道。对面是深圳的老地标，地王大厦。老地标右后边，不远处，是新地标，京基100。这年头，谁高谁就是地标。我当然不认同这观点，我喜欢地王大厦，她建得有个性、有历史，寄托了多少早年闯深圳的人的梦想。她的名字"地王"，够土够直接，够草根够"屌丝"，可这就是深圳骨子深处的本性。

夕阳之光，在地王大厦玻璃幕墙上，磨叽出一脸的温柔。光线淡了，热气散了。城市像一个回到家的少妇，踢掉高跟鞋，脱掉小外套，抱起小宝宝，脸贴着脸，恬静如泥。

地王大厦的户外广告开始迫不及待地跳起霓虹灯。"曼哈顿英语""海螺健身""味道厨房""S梦想"，除了"S梦想"这家纤体减肥店，其他三家我都消费过。越是高档的东西，越没什么特点，除了价格奇高。

越来越多的白领，从水泥盒子里随着冷气涌出来，走上深南大道，拐进地铁，或者和我一样，走上公交站台。

我漫不经心地排在站台靠后的位置。我要坐的203，车很密，但人也多，队伍排起长龙。也总在这个时候，我会想起小学老师经常说的一句话："我们都是龙的传人。"车来了一辆又一辆，人上了一拨又一拨，都是挤得满满当当的，车门像把芭蕉扇一样，关了又合，合了又关，好久才终于闭上。我站在人潮后面，人多，我就不上，主动退出来。我绝对不挤着上公交车。

我又退到公交站台上，甚至退到一边宽敞的地方，让开地方。我特别享受这种漫不经心。挤吧挤吧，这世间，唯老婆与工作难找，唯时间与公交难挤，挤吧挤吧。最后往往情况是，终于我也等不了了，看到远远一台红色出租车亮着顶灯靠着边，我一侧身一抬手，拉开车门，在人们的注视下，坐进去，再轻拉车门，看着站台上黑压压的一片，走了。

从地王大厦回家，最近的路线是深南大道，开不远，然后转东门路，然后过雅园立交……但我喜欢让司机走深南大道，走到将近最东头再转文锦路。有的司机会说："你这样走，会走远了一点哦。"我说："没关系。"

之所以这样，是因为我喜欢深南大道。深南大道，她不仅仅是一条路名、一条中轴线，也是深圳这座城市的标志，和地王大厦一样，和北京的长安街一样。这座城市所有的繁华和奇迹都在深南大道两边，比如证券交易所、小平画像、世界之窗、欢乐谷、书城、华侨城创意园等等，还有我工作的传媒大厦。夜幕倒挂下来，全城半暗半明，竹笋般的高楼大厦、壁画似的电子广告，道路中央车流汹涌，道路两边人潮如蚁，坐在车里，观察着这一幕幕，让人有一种压抑不住的兴奋和紧张，感觉自己就是这个城市的主人。

这也是我不喜欢开车的一个原因。算起来，从去年开始，我就不怎么开车了。另外一个原因是，停车难，停车贵。去年开始，家里小区的停车位开始紧张，晚上超过十点，保安就告诉你没位了。怎么办？只能停路边。停路边，有时候交警会半夜抄牌。每次收到红色小单，一看执法时间，我绝对真心、发自肺腑地赞一句："真他妈的敬业！"同理，写字楼的车位也越来越紧张，而且费用执行一类商业区标准，第一个小时十五，每多一个小时收十块，以此类推，停八个小时，你算算吧。如果自己开车，到了闸口，停车卡滴一声，保安小妹或者她哥一句冷冰冰的礼貌用语"先生，五十，谢谢"，然后用一种克制的、略显傲慢和幸灾乐祸的复杂表情，恭候着你。停个车，五十大元啊，接过一沓发票，啥心情都没了。

不如打车。

3

今天，还是打车。

不过，没时间在公交站台玩漫不经心，也没时间在深南大道上找感觉。

直奔罗宝北路。

大宝发短信说她已经在那里等了。

我们相约今天把离婚证拿到手。

我在出租车里就远远看到，大宝早在路边望穿秋水了。车停在她身边。看到我，大宝风度翩翩地拉开车门，小雀跃顺着车门溜了进来："哎哟，这么重要的事，你都迟到了。"

大宝有个口头禅：哎哟。当她启用口头禅跟你说话的时候，有时候是表达她对你的小娇嗔、小暧昧，有时候是表达她的不满和愤怒。蛮复杂的。女人不就是复杂嘛。

我接过大宝手里的矿泉水，喝了一口，"放心，今天一定把事办了，走。"

　　大宝已经踩过点了。根据她的指引，我们三步两步就到了办事的地方。三个女人，正排在一起，面带微笑，目光热情，似乎在恭候着我们。

　　我选择了最右的一个女人。她的头发梳得一丝不苟，看上去年纪也长些，和我一样，穿着白色有领的T恤，上衣扎进牛仔裤里，很干练很靠谱的样子。

　　"离婚证。"我上前一步，大宝跟在我后面。

　　"把你们两人的名字写给我。"

　　大宝早有准备，嘶啦一声拉开包，纸笔奉上。

　　我写下两个名字：

　　姚奋斗。

　　柴美好。

　　"还有各自的身份证号码。"

　　我刷刷写下十八位阿拉伯数字。

　　"写工整点，别搞错了。"大宝提醒我。

　　我只好叉掉，重写了一行。

　　没等我问大宝，她夺过笔，一笔一画写下自己活在这个世界上的唯一代码，认真细致，标准得像印刷体。

　　"多少钱？"大宝跨前两步，把我挡在了后面。

　　"九十。"

　　"比结婚都贵了整整十倍。"大宝说。

　　"都是明码标价的。"

　　"好。多久时间可以拿到？"我问。

　　"正常来讲，两个工作日，明日过来取。也有快的，半个小时可取。快的要加收百分之五十的手续费，也就是一百三十五。"

　　夜长梦多。速战速决。早点完事。我掏出钱，说："要快的。"

"旁边有椅子，请稍候片刻，一会儿叫你。"

大宝拉着我坐下。她的手硬邦邦的，手心有汗，显然，她心潮正在澎湃，小激动抑制不住。她把头拱进我的后颈窝，睫毛扫着我的皮肤，鼻子使劲地嗅着。我在外头跑了一天，也不知道她闻到的是汗味还是尘土味。这个动作很暧昧，也很温情，让我泛起久违的感动。

"谢谢你。"大宝幽幽地说。声音从脑后传过来，低沉得像大提琴的呜咽。她不会再哭吧？

特别时刻，女人容易动情，哭也正常。

我把大宝从我的后颈窝里拔出来。摸摸眼角，啥也没有。她看着我，没说什么，歪靠在椅背上，双手垂下，小腿微微交叉，似乎这是她最舒服的姿势。不知道她遥想起了什么，她的脸上突然扫过浅浅一笑，酒窝双双。

好复杂。女人就是复杂。

此时，夜色大幕已经落下。天空被渲染成浓墨一片。凉风吹起，把大宝的齐刘海吹开，露出她洁白的额头。这让我想起，多年前，她短发示人、额头清亮的旧时光。我伸手摸摸她的小脸，说："离婚证马上到手了，你终于如愿了。"

"嗯，幸福人生即将启程。"大宝沉浸在她的遥想中，用的词都是"豆瓣"里文艺腔。

"那我祝你幸福。"我咕咕喝起水来。

"什么祝我幸福，祝我们都幸福。"大宝一拳捶在我手臂上，差点没把我嘴里的水给呛出来。

"哦，哦，共同幸福，共同幸福。"我说完，看了下手表。

看我看手表，大宝也看了下手表，四处张望了下，"咦，怎么还没叫我们，半个小时都到了。"

千万别出什么岔子，这种事，我可不想好事多磨。我连忙起身问另外两个女人："我们的证怎么还没来？"

还没等到回答，一个男人从黑暗中跳了出来，远远地就听他带着一句话："谁是姚奋斗？"

这个男人吓了我一跳。他黑得像块木炭。黑短袖、黑裤子。遗憾的是，他裸露的脸、胳膊，比脚下的黑皮鞋还要黑。要不是看到那坨扑闪扑闪的眼白，真没法证明他不是来自遥远的非洲大草原。

"谁是姚奋斗？""黑炭哥"挥舞着手里的两个小本。

我走上去，接过两本绿色小本，"离婚证"三个烫金小字显得特别醒目。

"嘿，你的名字起得真好，尤其是跟你老婆的名字，绝配，奋斗、美好，有奋斗就有美好，美好生活啊。""黑炭哥"啧啧起来，闪出两道白光。他有一口洁白的牙，和眼白一样白，简直是白得刺眼。近了一瞅，别看他瘦，浑身是肉；别看他黑，满脸光辉。

大宝靠近过来，拿着绿本本核对了一次。觉得不够，又拿出身份证，再核对了一遍，然后抬起头说："没错。"

"错了也不要紧，我再帮你们重办。""黑炭哥"说，"办假离婚证的，一般都比较幸福；办假结婚证的，一般都不会有什么好结局。"

哇，好有哲理的一句话。我忍不住琢磨起来，想和"黑炭哥"深入地交流交流。

4

为何要办假离婚？

答案还是要先从大宝讲起。

公务员系统是这样的，不犯错误就是功劳，三年一个级别，自动升级，尤其是在市委市政府这样的大机关里。2010年，三十而立的大宝，顺理成章地在职务一栏里填上了"科长"两字。

机关也是"铁打的营盘，流水的兵"。这几年，深圳四处成立新区。宝安、龙岗两个大区，被切豆腐一样，这里分一块，那里割一坨。新区，新班子，新人马，自然四处调兵遣将。这不，三十有二的尤科长响应选调，呼啦一下，调到了东部新区，任宣传科科长。

大宝参加新区公务员选调，可以说是生活所迫。

在市委办公厅上班，对大宝来讲，多好。

工作平台大、起点高，虽然是小小科长，但接触的都是大领导，办事想问题，眼界自然而然要高，思维也开拓，走个基层，各区、各街道、各局都给足面子，毕竟是市里下来的人。这都是我替大宝理解的事。大宝未必同意，她对当官没有欲望，何况也深知一句古话："朝里有人好做官"，反之，亦然。大宝属于"反之"行列。

对我来讲，大宝在市委办公厅上班，还有一好处在于上班离家近，开车，即使早晚高峰期，二十分钟了不起了；工作比较规律，老人、孩子随时可以照顾得到。这是很现实的事。

有没有不好呢？也有。

大宝说的，待在市委办公厅这种大机关，天天面对大领导，处处谨慎，说话办事小心翼翼还不行，还要万无一失，表面上很风光，其实"亚历"真的"山大"。这是一个。另外一个，单位级别太高，一点也不实惠。

实惠，这个事，击中了我们全家人，成了家庭会议的讨论焦点。

大宝她妈说："小宝幼儿园小班一完是中班，中班一完是大班，大班一完是小学，这小孩的支出像开了闸的洪水，挡都挡不住。你们要有所准备，别一看存折，空的。"

看我们没说话，大宝她妈继续说事："我的意见，能到新区就到新区，待在基层肯定比大机关实惠，这个甭管是深圳，还是我们老家小地方梅州，都是一样一样的。在市委，你一个科长就是干活的料，到了新区或者街道，没准就是中层了。科长在基层，不说有专车，至少部门有车吧，市委呢，不可能。还有收入这块，车补、房补、岗位津贴等等，不用说，有差别，而且差别很大，一个是特区内，一个是特区外，能不大吗？这我都打听过了。实惠永远是第一，其他都是虚的。所以，我的观点，去，争取去。"

大宝她爸小声插了一句："报名选调就是，选得上就去，选不上待在市委也不错，不要太看重眼前利益，有点理想也是可以的。"

"理想？啥年代了还谈理想？"她妈反驳，"80后这一代人，哪里有什么理想，你看看房价，出租车跳表似的，一时一个样，比你心跳还快。市区的，哪里还有两万以下的房子？看看他们每个月多少工资都还贷给银行了？再看他们开的车，那油价，八块多一升，车子喝的哪里是油，分明是人民币！小宝每个月的支出，还用算吗？还敢算吗？小屁孩每天一醒来，吃喝拉撒，哪门不是钱？80后这一代人，压力太大了，全世界都应该同情你们，向你们致敬，向你们鞠九十度大躬。"

大宝她妈的话一会儿针对她爸，一会针儿对我们。"我是做语文老师的，我不知道你们注意到一个问题没有，我都注意到了。"她妈接着说，"我们年轻、结婚的时候，80年代，社会上有一个词经常出现，无论是歌词里、还是诗歌里、还是大家的信件里，经常出现，这个词叫：'流浪'。三毛那个时候不就是流浪吗，背个包到了撒哈拉跟男朋友约会，好潇洒。可你注意到没有，'流浪'这个词在最近十年，几乎很少出现了，大家也不谈了。为什么？现在的年轻人，你敢流浪吗，别说半年三个月，就一个月你都不敢。为什么？流浪，意味着你要辞掉工作，辞掉工作意味着你没收入，没收入意味着你买不起房子，买不起房子意味着你……"

"意味着你见不了丈母娘。"我没深没浅地接了一句。

"对。"大宝她妈笑了起来，"买不起房子意味着你见不了丈母娘，见不了丈母娘意味着你娶不到新娘，娶不到新娘意味着你……"

"娶不到新娘意味着就是'屌丝'一个！"我又帮忙接了一句。

"'屌丝'？啥意思？"她妈被这个词卡住了。

大宝剐了我一眼，"没大没小的。"

"总的一句话，你们80后压力如此巨大，现实第一，理想第二。选调，去！"

岳母大人，真牛啊！分析，丝丝入扣，结论，清晰明了，关键一点，说话撒得开，收得拢，完全可以做4A广告提案人。

"我去呢、去呢、还是去呢？"报名选调前夜，在我们自己的小家里，大宝问我。

显然，她被她老娘"洗脑"了。

大宝分析了："我妈的话确实不是信口开河，尽管深圳早已特区内外一体化了，但还是有一些区别的，各种福利、津贴、补贴，政策上还是向基层倾斜的。打听了，如果选上新区党工委、管委会'两委综合办'宣传科科长，每个月收入要比在市委多个三千块左右。另外，基层的科长，大小是个领导，很多活再不用自己亲手吭哧吭哧了。还有，基层很多事处理起来，灵活度很高，原则性没那么强，精神压力小一些。"

"但是……"大宝把坏处留到最后，"新区离市区太远啦，不堵车，一个小时，至少。以后可能就不能天天回家。"

"这个……要命。"我说，"好在小宝现在马上要上幼儿园了，离得开你，还有你爸你妈带着……"

我给大宝一个台阶下，一切由她自己定。但我发现，我的潜台词里，有怂恿她去的意思。

为何这样？

咳，还不是希望家庭收入能增加点。

每个月多三千块。多吗？不算多？要是没小孩的时候，我肯定不在乎这三千块。大宝也不会在乎。"时间多重要，每天耗一个小时在路上，生命的价值在哪里？这浪费在路上的一个小时，干什么不好，听歌、看电影、运动、陪父母……"那个时候一定这么想。

但是，现在，不了。三千块很重要，能补很多窟窿，至少一个月车的油钱、停车费基本解决了。

大宝她妈的话说得一点没错：现实第一，理想第二。

理想是鸡蛋，现实是铁蛋。

鸡蛋碰铁蛋，注定要完蛋。

使不得啊，使不得。

5

大宝报了名，参加东部新区公务员选调。

竞争很激烈，二十五选一。

笔试。

面试。

班子讨论。

笔试难不倒大宝，考试是她的强项，因为她愿意下笨功夫，高考时运用的题海战术一套一套的，该掌握的、不该掌握的，一律掌握。

面试也还行。在市委这种大机关最大的好处是，说话、做事、看问题，干什么都高屋建瓴，站得高看得远，气场很大。

这些都是其次，关键有贵人推荐。还是档案局那个老领导，她到了市委办公厅后，很快又到了市人大，级别提了一级又一级。她向新区领导推荐了大宝。

闯三关斩五将，大宝就这样挪了个窝，搬进了新区大楼，成为其中一员，任职宣传科科长。办公室宽敞多了，推开窗，山海叠翠，上面是绿林山色，下面蓝海白沙，空气极好，吸进去的尽是负离子。

就冲着这窗外美景，大宝心花怒放。

"实践证明，我们的选择是对的！"大宝给我发短信，每个标点符号都洋溢着激动和豪迈，恨不得要把我们一家人都拉到她办公室体验绿色生态，感受美好新生活。

可惜好景不长，烦恼接着就来了。

还是老问题：路途遥远。

上班跟上西天取经似的。

说是一个小时的车程。可那是正常情况下。现在的交通，正常情况很少，不正常情况很多。正常就是不正常，不正常才是他娘的正常。

一个小时？

屁！

清醒地想一想，公务员早九晚六，无论早还是晚，都是不折不扣的高峰期。乐观点，也许会想，杀出市区后，到了郊区，会不会通畅点？因为郊区人少啊。

不会！

现在郊区也到处是车，你以为就市区车多。何况郊区的道路还很烂。

还有，在郊区，交通规则根本就形同虚设。那真是一个素质问题，简直就是横冲直撞、胡乱来！大小车祸，没有哪天看不到的。有时候好不容易杀出市区，好不容易快到单位了，可突然堵死了，以为是前方发生了重大事故，下车一看，两车蹭到了。轻微刮碰，现在不有快处快赔吗，拍个照、报个保险，开走不就行了。好家伙，他们偏不，停在路上，梗着个脖子，争、吵，把道路当成了练口才的地方。

"一开始你以为，他们只是一和三之间的中间数，没想到你还是一和三俩数的组合。看着那个火啊！"大宝怒到一定程度，骂起人来不带脏字。

每天晚上回到家，至少都八点了。大宝累得连开门转动钥匙的力气都没有，噔噔噔拍门。门一开，整个人都快散掉了，恨不得都要你搀扶着她。

哎哟，猪肉炖粉条似的。

好不容易活过来，扒拉几口饭，再跟小宝玩一会儿，哄进洗澡盆，哄上床，她自己也睡着了。

两老人看着心疼，不好叫醒宝贝女儿。

我只好自己回了小家。

好几次，我劝大宝干脆就别回市里了，或者定个规矩，一三五回来，二四待在美丽的新区，看重峦叠嶂、鸟语花香、海天一色，自由呼吸，清肺静心。大宝每次都同意了，甚至早早发信息说："今日太累，晚上不回去了"，但一到下班时间，问她在哪里，她都回两个字：

"路上。"

大宝说服不了自己独自享受美好生活。

因为，她想念她的臭屁儿子。

一家人都在担忧大宝上下班堵在路上的漫长煎熬。

一到晚饭时间，等啊等啊，菜都凉到菜地里去了，还是"路上"、"路上"。

有一天，七点钟大宝就到家了，弄得两老人中了彩票一样的高兴。她爸本来就是个资深彩民，立即下楼买了一注彩票。

她妈问："是不是开通了新路？这么早！"

大宝漫不经心地答："今天在市里开会。"

"哦。"两老人皮球一样，泄气了。

就在这个晚上，在回自己小家的路上，大宝提出一个购房计划。

"多年房奴，生不如死，还要买房？"我瞪大眼睛，望着大宝。

"哎哟。"大宝口头禅来了，"别紧张，且听我慢慢分解。"

"你别分解了，直接把我分解得了，哪块值钱，卖哪块。"我从心里不愿当奴，任何奴、各种奴。

"别贫嘴。"大宝厉声喝道，"北京读过书的人，就是爱贫。"

大宝开始"分解"："在新区上班个多月来，我一边勤奋工作，一边察言观色，观察什么呢？观察周边的房地产市场。现在市区最烂的小区，没有低于两万的，你看我们这个小区，中等吧，都奔三万五了。而新区那边的房子呢，均价一万，出点头吧。几个楼盘我都看了，房子结构，小区设施、绿化环境，都很讲究，户型有大有小，丰俭由人。周边环境比市区好一万倍，左山右海，山是山，海是海，空气是空气，看得见，摸得着，吸得了，实打实，一点也不忽悠人。不像有的楼盘，堆个小假山，说是苏州园林，挖个水池子，说成东方威尼斯。"

"你是不是转行房地产做销售了，还是入了他们股份？"我戏说了一句。

大宝不理我，继续。"我想我们可以买一套三房，一百平，合起来一百万左右，这样，我就可以住在新区，同时把小宝、爸妈他们接过去，一来免去了我的路途之苦，二来可以让我和儿子有更多的相处时间。你看，小宝现在正是长智商、增情商的时候。"

大宝击中了我的软肋。她使用的"武器"是我们的宝贝儿子。

"周末考察下。"我说。我没好意思说的是，一百万，钱从哪里来？连首付都吃力！

难道要卖掉现在住的？

还是别的？

啃老肯定啃不了，双方的家底，我心里有数。

即使能啃，也不行。

这不是我和大宝的风格。

父母不是提款机，我们也不是榨汁机；老的愿挨，小的也不敢。

6

天气不错，心情也不错。高高兴兴，驱车前往大宝所在的新区。

因为是周末，车辆较少，出了市区，一路倒真是风景宜人，左边青山，右边蓝海。

到了新区的地头，先在新区政府门口瞻仰了下办公大楼的壮观和美丽，然后大宝给售楼小姐打电话，问路。大宝是个路痴，什么都靠导航仪，而恰好，要看的那个楼盘还没有输入到导航系统里。还好，有我在，左拐右拐，右拐左拐，上了主道走辅道，走了辅道又再上主道，折腾几次，终于到了。

妈呀，第一期就二十多栋，一共有六期，多大的一个盘！

果然气派，大手笔。

走了一圈，如大宝所说，无论户型结构、设施、绿化都不错，有种"取其精华，去其糟粕"，集优秀建筑大成者的味道。登上16楼的样品房，室内设计不说，单走上阳台，人就被震撼掉了。

太美了，这风景。

弧形阳台，望出去，一大片海。

蔚蓝的海。

宁静的海。

像一幅印象派的油画，有质感，有诗意。

我都看傻掉了。

"喜欢吗？"大宝捅捅我。

"喜欢。当然喜欢。太喜欢了。"我说。

"一百零六个平方，阳台面积白送，总价九十五万搞定。"大宝说。

"哦。"我心里运算了下，"确实，比市区便宜多了。"

售楼小姐跟我们说："还有小别墅，也特别超值。"

"看看去？"大宝问。

"看看就看看。"我倒想看看怎么个超值。看看猪肉会不会卖成白菜价？

坐着电瓶车，沿着一条林间小道，蜿蜒而上，然后停在半山上。

嗬，一排的别墅，三层、两层、大的、小的，高高低低，错落有别，清一色的"人"字顶，不小心以为到了澳洲乡间，就差那么一个教堂了。

"这是最最超值的单位。"进入一个样板间，售楼小姐说，"上下两层半，室内面积一百四十多，总价一百六十万。"

样板间里，参观者众。一个个脚踩蓝色鞋套，进进出出，指指点点，逛菜市场似的。

确实超值。

首先，门口有个十多平方米的小院子，以树做墙，密密实实地围着。一棵桂花树显得特别高，树腰上挂着小铁牌子：四季开花，随时飘香。鼻子轻轻一吸，桂花特有的清香，让人还没进家门，疲乏全无。

一进去是个厅，有一间房。上楼梯，是一个两房一厅结构，主人房朝南，推门是大露台，露台放着一小桌两小椅，桌上有小黄花。夜风习习，夫妻拥立露台，或坐或站，谈心，浅笑，看月亮，够浪漫的。瞧，我想多了。

下楼，再下楼，是厨房。厨房外连着一个小花园。这个小花园，我喜欢。黑色的铁艺围墙里种着竹子，修长，青绿，"宁可食无肉，不可居无竹"。一角砌了个小池塘，池塘里有鱼。粗糙的大水缸里，盛开着莲花朵朵。一把墨绿色的大阳伞撑起一片荫凉。伞下是一方酱红色木桌，四把藤编靠椅围拢着。一群老友，伞下而坐，一盏普洱，一份闲心，谈天说地，扯淡吹牛，岂不快哉！瞧，我又想多了。

一百六十万，一栋别墅。

要在市里，一百六十万，别墅？

别想！

顶多小两房。

售楼小姐察觉到了我们心里泛起的一丝涟漪。

售楼小姐问："有什么疑问？"

"怎么比市区便宜这么多？"大宝警惕性蛮强。

"肯定啦，这是属于惠州的地界。"售楼小姐回答。

"啊。"大宝张大嘴。

"哦。"我恍然大悟。

售楼小姐也很吃惊地看着我们。心想，这两个二愣子了，连属于哪里都不知道，看什么楼啊。

我瞟了一眼大宝。心里不好说："你个二货、马大哈、猪脑子。一个住经济适用房的命，居然操着独栋别墅的心。"

售楼小姐一句话让我们又收回了神："这个地方恰好处在深圳与惠州的地界上，两腿一跨，一脚是惠州，一脚是东部新区。所以，心理上，你也可以把它看成深圳。这个楼盘就是为深圳人准备的。"

"说的倒是。这个地方离新区办公楼的距离，要比新区中心到新区办公楼的距离要近。"大宝低声说，像是特意说给我听的，让我原谅她的低级错误。

　　售楼小姐补充说："这个楼盘，估计整个广东是最大的，五年之内，六期全部建成，那是什么样的规模，深圳十个白领有一个都住在这里，到时候绝对升值，五年后涨到两三万一平，丝毫不是问题。居住、投资两不误。"

　　升值这个说法，我同意。

　　我问："可以贷款吗？"

　　"当然提供。你是深户吗？"

　　"是。两人都是。"

　　"买过房子吗？"

　　"有一套。"

　　"惠州的政策和深圳一样，不限购，但限贷。也就是说，你们已经有一套了，不限购，还可以买，但限贷，只能贷四成，首付要六成。这个小别墅一百六十万，首付要九十六万，贷六十四万，按三十年算……"售楼小姐神算一样，手指在手掌一通按，"每个月还贷四千多。"

　　首付九十六万！

　　我的天！

　　人生的悲哀就在于，当你想为亲爱的人豁出去了两肋插刀的时候，却只有一把刀，钱……真的不够。

　　"有没什么办法降低首付？"我听说过有一些擦边球可打。

　　"有啊。"售楼小姐说，"办个假离婚证，首付三成，也就是首付四十八万，贷一百一十二万，按三十年计算……"又是一通计算，售楼小姐报出一个数字，"每个月还贷七千多。"

　　又一大笔月供！

　　额滴神！

　　"离婚证到哪里办？"大宝显然未死心。

"不是离婚证，是假离婚证！"我提醒大宝。

售楼小姐笑了，说："假离婚，假离婚，就是街上办个假证，不是到民政局办。民政局办的是真离婚。"

"还有一个问题，假离婚，银行看不出吗？"大宝又问。

"银行为了放贷，睁一只眼闭一只眼，他们才不管你是真离婚假离婚呢？"售楼小姐说，"银行想做你的业务，它就不管你的证件真假，只要有就可以了。出了问题，银行可以说，'我又不负责证件真假的鉴定'，对不对？"

你看着我，我看着你。我和大宝都在做思想斗争。

小别墅太漂亮了，以至于我们根本都不想再提起第一次看的三房。

三房在我们心中，直接被"拍死"了。

小别墅啊小别墅。

桂花啊桂花。

阳台啊阳台。

看月亮啊看月亮。

露台啊露台。

竹子啊竹子。

一盏普洱啊一盏普洱啊。

魂被勾走了啊魂被勾走了啊。

大宝说话了："我担心假离婚证办了，我们成了真离婚，房贷这么高，保不准夫妻不和。"

我顺着话说："我也担心。"

"哎哟，你这个人怎么这么讨厌，真没有责任感。"大宝怒斥。

"要不，试试。"我望天，"先办个离婚证。"

"是办个假离婚证！"大宝喝令。

"对，到民政局办个假离婚证！"我说。

"到天桥下办！"大宝掐着我，"贫、贫、贫，贫得像只猴。"

结果，事情没办成。

假离婚证被银行"揪"了出来。

比我们更伤心的要数售楼小姐。

一单一百六十万的成交额，就这样飞了。

"风声突然紧了，银行不敢做了。"售楼小姐把假离婚证书、大宝的各种资料交给我们，"唉，我们的运气都不好。"

大宝有点伤神。

我表面上伤神，但心里还是有点高兴，突然松了一口气似的。

我发短信给大宝她爸，传递现场消息。

她爸飞快发回一个字：

"好。"

看来高兴的，不止我一个人。

可怜柴美好同学，别墅梦碎，竹篮打水。

"伤心。"大宝不思茶饭。

"伤心，还好，伤胃，就不好了。"我宽慰她。

7

太快了，呼啦，一年、一年、一年过去了。

小宝马上四岁了。再次面临上幼儿园这个问题。

两岁的时候，一家人就为上不上幼儿园这个问题，在家庭会议上，互相弹劾。

那个时候还不能上幼儿园小班，只能上小小班。

大宝说："现在都是独生子女，要早点把小宝送到幼儿园里，过集体生活，以后免得性格乖张、不合群。"

然后大宝开始列举数字，我国自闭症儿童多少多少，抑郁症儿童多少多少。

我采访过自闭症儿童、抑郁症患者，我还不知道是怎么回事？立即反驳这位年轻妈妈："美好同学，请不要望文生义，不生活在集体里，不等于自闭症、抑郁症。生活在集体里，自闭、抑郁的，也不是没有。"

大宝她妈也不愿意送小宝到笼子里。她跟别的奶奶、外婆交流过，说出的话显然更接地气："两三岁就送，孩子可怜。因为幼儿园的生活是有规律的，要早起送去，想多睡会儿都不行。白天在园里一切都要靠老师，老师好还好，老师不好，你也没办法，也不知道。孩子哪会说好还是不好，全靠老师说。另外一个，一个小小班小朋友十几二十个，才一个生活老师，怎么可能比一对一的好？下午午睡，到了时间也是要统一起来吃喝拉撒。小宝爱睡懒觉，半醒不醒地把他搞醒，不哭个天翻地覆才怪。一哭一闹，一不小心就生病了，到时候头更大。"

就这样，二比一，小宝得以在家大闹天宫了一年。

四岁生日已过，幼儿园春季班到处招生。红旗招展，传单四散。打开信箱，是幼儿园的广告。推开家门，门缝里还是幼儿园的广告。黄色小校车，被小区赦免，可以开进小区里。车门一开，大人孩子，呼啦呼啦，好不欢腾。

小宝见了，眼珠子咕噜咕噜地转，像是要主动靠近组织了。

"是时候了。"大宝提议。

这次没一个人反对，全票通过。

我早就在物色幼儿园了。

我是记者，大宝是公务员，两人都是深圳户口，正当职业，社保没漏过一天，纳税没少过一分，当然要进公立幼儿园。

一个是费用低，一个是理应享受这公共资源。

这是理所当然的公民意识。

一搜索一问，小区附近有一所公立幼儿园，名字果然简洁大气："中心幼儿园"。

去了现场，公家办的就是公家办的，选址在一个政府接待宾馆的后面，交通方便，闹中取静，最主要是，周边是一个大公园，绿化好，空气好，一簇一簇的簕杜鹃屹立墙头，争先恐后地绽放。从围墙外望进去，幼儿园像个卡通屋，五颜六色的。瓷砖贴出的各种小动物，十分传神。靠近墙边，是个运动场，矮矮的篮球架、窄窄的足球门框、红色的滑滑梯、绿色的秋千……还有一个游泳池！

门口停满了小轿车，都是名牌车，奥迪、宝马、奔驰都有。车外站满了家长。有的不像家长，像家长的司机。

不用说，这家幼儿园门槛不低。

早听说过公办幼儿园难进的事，所以我不想贸然进去报名入读，先找个熟人问问吧。

我所在的部门就是民生新闻组，有记者专门负责教育口。很快，就拿到了幼儿园园长的手机。

联系园长，意味着你要求人。

不然你干吗联系园长，按正常程序走不就得了。

一开头，就输了气势。

这年头，办任何事，都要求人。收起臭脾气，毕恭毕敬给园长打电话吧。

园长是个女的。在电话里很和气："你明天过来园里吧。"

说话这么客气，应该有戏。

第二天起了个大早，看着日出东方照耀美丽城市，心神清气爽地到了幼儿园。

人一见面，园长就不和气了。嗬，那样子，孙悟空飞机上表决心——姿态高高的："你是符合条件，但是现在没办法啊，你的孩子要等、要排队，因为现在人满为患了。"

我心想："我们记者还给你发过正面新闻呢，怎么一见面就一副臭脸。"

可我偏偏不善于嬉皮笑脸这套。想套近乎，套不起来。

园长看我有点尴尬，收了资料，让我先回去。

回去我被大宝一阵批："你'妙手著文章'都可以，为什么不可以'妙嘴说人情'？"

大宝风风火火地，找到区教育局，又拐了无数个弯，找到了一个主管幼儿教育的科长："帮忙说个情，该怎么表示就怎么表示！"

科长回电大宝："可以报名！"

我气得肺都要炸了！明摆着，园长为什么向我摆高姿态，就是因为我没向园长"表示表示"，一进去办公室，严肃得像采访新闻似的，连点暗示都没有。

人家园长凭什么理你？

大宝带小宝去中心幼儿园，报名，办手续。

我，坚决不去。

生活就像心电图，想要一路平整、不起波澜，除非你Game over了。

小宝进了中心幼儿园，波澜开始了。

一周后，大宝接到幼儿园老师短信："为了宝宝的全面发展，本学年，除正常教学外，园方开辟'金宝宝'第二课堂。主要有：奥尔夫音乐课程，一百/月，五百/期，思维游戏课程，六百八十元/期/套。此外，还有早期阅读、小智慧英语两门课程……欢迎垂询。"

大宝专门去了一趟。老师说上述四门课程，与纸张、学具等学杂费一样，均为幼儿园小、中、大班的"代收费"项目。

老师说得很含糊。大宝提炼出来核心问题："就是说，在这上幼儿园，必须缴这四门课的费？"

老师说："可以这么理解。"

和小宝做同学的另外几个孩子的家长也在。大家算了一笔账：每月保育教育费一千五百元，伙食费每月三百元。四门特色课程每学期增加约一千五百元。乘起来，加起来，一个学期缴费一万零六百元。

"读大学也就是这个数。"一个不知道是奶奶还是外婆的老人唠叨着。

"教育局不是禁止开兴趣班吗？这是典型的乱收费。"一个中年男子小声地嚷着。

"可又有什么办法？孩子都进来了，他们怎么说就怎么办呗。"一个年轻女子拿着银行卡就进了幼儿园收费处。

幼儿园里说收费，听取"唉"声一片。

大宝暂时没交，回到家征求家长我的意见。

简直是火上浇油："坚决不交。"

我第二天就让记者去调查此事。

记者马上到幼儿园交费处现场采访。

"这个报道杀伤力估计不大。"记者回到报社，摇头说，"幼儿园都是老狐狸，无论是发给家长的短信，还是现场回答家长，措辞都很谨慎，不给你留下任何把柄。"

我看了记者写的稿子：

中心幼儿园园长向记者介绍，按照区教育局的规定，该园早已经取消了"兴趣班"。目前接到投诉的四门课是正常教学之外、作为该园承担的省教研课题而开设的。与常规的音乐、英语教学相比，这些课程由园外老师免费授课，收取的是教材费或乐器折旧费。很多家长认为孩子通过学习提高了兴趣和感受力，很有特色。因此，这些课程从部分班级推广到全园，约95%的学童自愿报名参加。园长还说，这些课程均向区教育局进行过申报，原来安排在下午四点半钟幼儿园放学以前的时间内，本学期部分调整为四点半之后的非正常教学时间。如果有家长不认同，园方完全尊重家长的选择和意见。

园长说得真是滴水不漏。

报道还是要见报，至少让家长知道这四门费用是可以不缴的，不是必需的。

我们没缴。老师电话又打过来了，说孩子最近情绪不太稳定。

大宝急匆匆赶过去，一看，全明白了。

所有的孩子都报了兴趣班，除了大宝的。

所有的孩子都在上那个什么小智慧英语。小宝没事干，目光呆滞，口水横流。

无形中，小宝被隔离了。

小宝被当成了异类。

大宝眼窝一热，泪水哗哗，拿出银行卡就缴费。

可是，幼儿园摆谱了："对不起，你的孩子要一个月后才能报名跟班。"

"可以插班吗？"大宝问。

"不行。这是外教规定的。"

明显是在刁难人。

报复。

明显的报复。

让你一点脾气都没有。

你在政府上班又怎么了？

你报纸曝光又怎么了？

奈我何用！

哼！

大宝受尽委屈，下了个决定，老子不读你中心幼儿园了。

我唯有默默支持。

私立就私立。私立还近家里，不用校车接送，走两步就是，就在楼下。

私立幼儿园名叫：

"阳光幼教机构。"

"我也赞成读私立。"大宝她妈说，"校车不安全，新闻都报了好几回事故了。离家近好，我可以陪着去，陪着回。"

算了一下，私立幼儿园每个月的保育教育费、伙食费加起来一共三千块，比公立贵了一倍，但没兴趣班的费用，而且照样有那四门课程。一算下来，一个学期一万五千，多了四千块。

多也不多。

少也不少。

"现在公立幼儿园也改制了，谁都不是是傻子，谁都知道赚钱，他们打的是擦边球。"私立幼儿园的园长热情大方，"我们请的外教一点不比公立的差。"

我翻阅了下他们的课程表，看到小班本周的活动计划：

（1）语言：《好吃的三明治》，尝试利用自己的经验改编儿歌。

（2）美术：《搓圆子》，享受制作食物的乐趣。

（3）音乐：《好吃的食物》，让孩子能大胆地进行表演活动。

（4）数学：《衣服上的数字》，学会点数。

（5）科学：《我会分餐具》，学习简单的餐具分类。

（6）社会：《好忙的厨师》，认识厨师的装扮和常用工具。

"挺好的。"我表态。

大宝也说："挺好的。"

我估计大宝心里还是想着公立幼儿园，但心里咽不下园方那口恶气。心里窝着一团火呢。

我们既不是为了办成事可以忍气吞声的人，又不是钱多得可以拿钱开路的人。

要命的是，还有点小脾气、小个性、小声张。

这样的人，最难混。

唉。

8

一则网络爆料，又让我们全家动了起来。

准确说，是慌了起来。

如果说，小宝上幼儿园经历的折腾、付出的钱财，算暴风雨的话，这次算是飓风、龙卷风。

这次，真让我们一无所有。

这则爆料是一篇网络帖子：

孩子上个小学为什么这么难？

作为一个80后的妈妈，也有好几年的妈妈经了。一心想为孩子谋个好前程，就算不能给他最好的，也希望能在我们的能力范围内为他尽最大的努力。从我走上社会至今，几乎所有的时间都献给了深圳，在深圳恋爱，在深圳结婚，生完孩子又来深圳继续奋斗。

在深圳一直都是守法的好公民，什么证件都办得齐齐的，就差一个租赁合同。从前年就开始在解读伟大政府制定的所谓合同的有效期，一直搞不明白，为什么要一年以上，还要跨过9月，12月有效。刚开始问过房东，能不能一次签两年的合同，房东说不能。我就绝望了。当我自以为一切弄清楚、明白的时候，朋友看我神清气定地想等到今年10月再签合同，就吓呆了。她劝我赶紧去签吧，人家有的都3月份就签了。我的心开始慌了，问房东，跑房管所，打电话问学校，最终还是要面对一个残酷的现实：确实是在今年3月份，就有家长去签合同了，为了明年的宝宝上学做准备。我今天马不停蹄地找房东，把合同签了。同去的还有一对家长，孩子是后年才上小学，提前两年多就在签合同了。我心里真是没底了。估计到明年，我的宝贝没有办法申请上公立学校了，心里不停地涌现出绝望的东西。我也搞不明白，为什么一定要租赁合同才能证明你的居住情况？小宝宝的防疫针从三岁起开始在社区打了，一直到今年的4月份，办的电信地址也一直是在这个社区，还有煤气的送气地址也是在这个社区，所有的这一切，难道都不能说明我们是在这里住着的居民，并且是一直住在这里的居民吗？从今天开始，我就要为孩子明年能不能申请成功而闹心了。已经有好几个晚上没有睡好觉了。如果不能申请成功，我想我会对孩子愧疚一生，因为这是在我能力范围以内的事，我没有办到，没有为他争取到，真是我当妈妈的失职。

在老家，没钱，来深圳打工，挣了点钱，却又要担心孩子上学问题。老天，孩子上学，比上天堂还难！

一个普通孩子的普通妈妈

我几乎听到了一个妈妈的哭泣和呐喊。

因为当了父亲，我知道这个妈妈有多焦虑。

我立即让记者采访、调查，能解决问题最好，不能解决问题，也要大声呼吁有关部门，重视外来工子女的入学问题。

晚上，我把爆料内容打印出来，读给大宝听。

大宝听到一半，放下筷子："我们小宝怎么办？有问题吗？"

从来没有认真考虑过的幼升小问题，被正式提上日程。

我们当然知道小宝升小学，不会遭遇这些困难，毕竟我们是深圳户口，而且有自己的房产，不需要出示狗屁不通人性的租赁证明。

154

但问题来了，小学是就近入学，小宝会在哪里上他的小学？

小学重要吗？

不重要吗？

万丈高楼平地起。

小学是基础，是活水源头。

是不是要有一个高的起点？

废话，当然要，必须要。

……

这些话，在我们各自心中翻腾、碰撞、对话。

首先看看小区周边有什么小学？

我和大宝各自抱一台电脑，你登录教育局网站，我百度搜查。

结果是，周边没有什么有名气的学校。

市一级小学是有。

但省一级，没有。

开始后悔当初买房只想到离大宝爸妈近，怎么没想到离重点小学近？

深圳的重点小学就那几所，距离最近、也是名气最大的当属第一小学。

这时候，我和大宝不约而同想起一个词：

"学位房。"

这个词，听无数人讲过，也在房地产广告上看过无数次，但都没有上心过。

现在终于明白什么叫学位房了。

牛角塘那一带就叫学位房。

天哪，终于明白，牛角塘片区的房价为何那么高。

要知道，那都是八几年的房子，房龄和我们都差不多同岁了。

向学位房进攻。

没什么好说的。

不用商量。

连夜研读政策。

大宝托朋友找到了一个幼升小的政策问答，其中最关键的两条被标红了。

问：入学前一两年购买二手房，子女在学位申请时会有影响吗？

答：在大多数学校学区内购买二手房，基本都能就近入学。但是有个别学位特别紧张的学校，如果前业主已经使用过（或正在使用，或已毕业）学位，虽然可以申请学位，但不能保证就近入学。倘若排序靠后，就可能会被调整到附近的公办学校就读。购买此类房时要慎重，不要听信中介或前业主的承诺。

问：购买了二手房，如何查询前业主是否用过学位？

答：（1）"购房只能保证一户一个学位"，这是学位特别紧张的学校的要求，主要是为了防止部分人购房入学后，然后高价炒卖学位，反复如此，导致学位紧张，而采取的措施。（2）部分学校会对使用过的楼盘有记载。但学校不可能专门为购二手楼查核该学位是否用过。只能在申请学位时，学校通过电脑查询才能得知结果，如果前业主使用过学位（甚至已毕业），且该学位特别紧张，学校就不能保证孩子就读。

问答里几处提到"不能保证"、"不能保证"，被重点圈了几圈。

毫无疑问，第一小学很有可能就是"不能保证"。

但这并不妨碍我们买学位房的决心。

不能保证，不是完全没希望。

不买房，才是完全没希望。

天，再次走上买房之路。

上一次，为了解决大宝上下班问题，被逼买房，被逼办假离婚证买房。

好在，假证被查出，房子没买成，否则，这次就是卖血也买不起房。

再一次，被逼买房，为了小宝的读书问题。

这次，不用办假离婚证了，赶紧想办法吧。

到安居网上看牛角塘片区的房价。

三十多年房龄的半老徐娘，居然比刚出生不久的小姑娘还要金贵。

三万一平。

面积都还不小，都是七八十、一百平方米左右的。

很少小户型。

要人命啊。

一平方三万，七十平方，二百一十万。

二套房，首付六成，一百二十六万。

啥也别想了。

死都死不出一百二十六万。

如果租房，凭借租赁证明，能拿到学位吗？

如果这样，那读名校也太简单了。

太简单的东西，不靠谱。

绝望啊，绝望。

绝望得两人各睡一边，话懒得讲，灯懒得关。

不死心。第二天，我的职业习惯来了，干什么事，像新闻采访一样，要到现场，不要光在心里磨叽、嘴上叽歪。

不唯书，不唯上，只唯实。

我溜到了牛角塘。

十几个地产中介，占满了一条街。门口贴满了出售广告，极少有出租广告。一问，果然，这个片区，极少放租，因为能租的，都租出去了。

广播种，撒遍网。

我每家中介都留下电话，诚心诚意，不要花招，申明：一、要有学位的；二、面积要小的。

手机从此铃声四起。早上还好，当闹钟使了，可半夜打过来，简直是午夜凶铃。

耐着性子接，抱着希望听。

都不错，但都被我Pass掉了，因为面积太大了。

"大哥，这片小区，都是改革开放初期建设的，分给公务员的福利房，小户型极少。即使有，人家都是放租的，划算。"中介在电话里如实告知。

"兄弟，我只要小户型，只要找到，佣金，我一分不谈，该多少就多少。"我故作不着急的样子。

谁知道他们是不是欺骗你，故意捂着小户型，把大面积推销给你。几百万的标的，佣金可不是个小数字。

小宝命好，半个月后，中介小兄弟催我立即到他们店里："牛角塘史上最小的户型，三十二平，四万一平，保留学位，要就快，快，快！"

史上最小！

多劲爆的广告词。

简洁有力，直指人心。

大宝在东部新区办公室里，遥控指挥："出发，给我马上出发！"

半路上又收到大宝信息："大记者，多留个心眼，小心陷阱。"

嘿，我天天在报纸上提醒市民多留个心眼，小心上当受骗。现在轮到她来提醒我了。

一切属实。

确实有此一房出售。

出售者是一老太太。优雅地独居了多年。

老太太要移居美丽的新西兰。

中介小兄弟告诉我老太太移民的原因是："担心食品安全、通货膨胀、空气污染。"

我刷卡交了五万订金，说："咳，我们都百毒不侵了，还担心这个那个，到了新西兰，没准反而不适应了。"

中介小兄弟说："就是，我觉得待在中国挺好的。"

我补了一句："那是因为，我们无处可去。"

史上最小户型，三十二平，四万一平，总价一百二十八万。

二套房政策，首付六成，七十六万八千，加上佣金、税费，八十万。

首先要拿出八十万。

一百二十八万，贷款四成，也就是五十一万二千，分三十年，必须三十年。

我上网找了个软件算了下，月供三千二百多。

我一项项报给大宝听。

大宝不听，打开柜子，把几本存折拿出来。

她也在做算术。

存折里只有六十万多一点点。

省吃俭用的六十万。

看电影不吃爆米花的六十万。

再也不出省旅游的六十万。

还不够！

距离第二天要拿出的八十万，还差二十万。

不能向父母吭声。

不能啃老。

坚决不能。

二十万的窟窿怎么补？

我想到了股票。

两三年都没看股票了。股票还有多少？

股票交易软件都没了。

下载。

下载成功。

输入资金账号。

资金账号都忘记了。

翻箱倒柜，找出开户资料。

好了，密码又忘记了。

输入，不对。

重试，还不对。

最后一遍，谢天谢地，进去了。

还有二十二万。

哈哈，五十万进去，还剩二十二万。

这股票投资的故事，想起都心酸。中国经济都世界第二了，股市却一夜回到十年前。都说股市是市场经济的晴雨表。表个屁！谁是股市中最大的赢家？大股东和相关利益机构。他们凭借接近零成本的代价，轻易获取几十倍，甚至几百、几千倍的回报。而他们获取暴利的背后，是以牺牲广大中小投资者的利益为前提的。

可惜，明白这个道理太晚了。

坑人的股市！

该死的股票。

窟窿就让该死的股票来补吧。

第二天一早，九点十五分，股市集合竞价，啥也不想了，挂了平开价，呼啦，全部清仓了。

从此告别股市江湖，在一个如此籍籍无名的上午。

无比唏嘘。

哥虽无名，但哥在江湖上混过。

向你致敬，中国股市。一个交过学费、颗粒无收的学生，向你致敬。

向你致敬，中国股市。一个名为中产阶级、实为负债累累者，向你致敬。

再见。

他妈的再也不见。

9

有一种压力，叫有老有小。

小的安妥了。

老的又有问题了。

大宝她爸刚一办完退休手续，眼睛不同意，闹起了别扭。

眼睛检查出了青光眼加白内障。

两只眼睛还不是看不清的问题，还有胀痛不舒服的问题。

检查是在小区附近的保健院查出的。

要做手术。但保健院做不了，没专业的仪器，要到市一级大医院。

没啥别没钱，有啥别有病。

现今，钱，没了。病，可千万别过来。

青光眼、白内障，接下去就是失明。

耽误不得。

赶紧找医院。

想起以前采访过一个眼科医生，姓关，在中心医院。

带着岳父去了。

挂号。挂了关医生的号。

人超级多。只有等。

终于到了。关医生蛮热情，陪着岳父做各种检查。最后的结论是，等待眼压稳定，做白内障切除和人工晶体移植。

关键是，等待眼压稳定。

稳定要多久？

这得看病人的情况。

于是开始了隔一天到医院检测一下眼压的工作。

一直不稳定。关医生预测，估计用药一个月后才能稳定，稳定之后立即手术。

没想到，在陪岳父测试眼压的第二周，我抓到了一条"大鱼"。

照例是挂号之后，漫长的等待。把一沓报纸翻完后，我注意到旁边坐着一个老太太，正在吃力地看着一沓东西，一个放大镜恨不得放在眼珠子上了。眼睛不好，还这么过度用眼？

我凑过去瞧了瞧她正在看的东西，是一沓账单，医院的账单。

老太太蓝衣布裤，霜白的头发，被几个夹子保护得一丝不苟，白净的脸庞，显示她是一个有素养的老人。

可我不忍看她一身的瘦骨嶙峋，还有暴突的眼睛。

"你也来看眼睛？"我问老太太。

老太太望着我，点了点头。

"你看的是什么？这么吃力。"我又问。

老太太这才打开了话匣子："我老伴死了，我总觉得医院多收了我的钱。你看。"

老太太抽出一张账单，密密麻麻，蚂蚁似的，加上打印的墨迹非常浅，看起来好费力。

一阵辨认之后，我发现了惊天大秘密：

表格显示，1月10日，老太太老伴已经进了殡仪馆，但医院的收费单上，1月11日仍有"血气分析"、"静脉高营养治疗"、"心电监护"等十几项药费、检验费、治疗费，共计一万多元。难道医院在病人进了殡仪馆后，还在为死者做心电监护？

再一看，老人在医院总共住院一百一十九天，治疗花费高达一百二十万！

新闻敏感性，让我抑制不住地紧张、兴奋。

再看看瘦得像只蚂蚱一样的老太太，热血瞬间往上冲。

一定要曝光这家医院。

曝光这家我正陪岳父看病的中心医院。

我向老太太递上名片。

老太太也激动万分，说她找医院很多次了，医院都是踢皮球，既不说有问题，也不说没问题，冷得像块冬天里的铁。

我先把大宝她爸送回家，然后把老太太接上，在车上开始采访，一直到老太太的公寓里。

老太太的两个子女都在国外。公寓很豪华。看着老太太孑然一身，颤巍巍地走在我前面，走在空洞的楼道里，心里一阵酸楚。

我采访了整整一下午。笔记、录音、摄影、摄像，全使上了。

下午，直奔医院，核实，对证，记录对方的辩词。

各方观点一股脑写讲稿里。

《谁在为死者做心电监护？》轰然见报。

哗然。

一片哗然。

电视跟进，网络热议。

十几家媒体涌向老太太的公寓。

卫生局发声明：立即调查。

医院发声明：立即调查。

老太太的冤枉钱被退回。

更多的报道继续讨论：

医院的账单为何那么难看懂？

用药数量为什么总是随意增加？

高昂的自费药为什么总是不询问病人？

一个部位有病，为什么总是全身检查？

热线电话被打爆。

各种内幕被踢爆。

全民讨论。

全城整顿。

报道落下帷幕那一天，正是岳父手术的日子。

关医生和往日一样热情。

但透露着一丝无奈。

他说："姚记者，人工晶体，只能移植国产的，抱歉。"

奇了怪了。关医生之前说过，人工晶体有国产、进口两种选择。进口的，不属于医保范围，需要自费。我当时选择的是进口。

"为何？"我问，"我不是早确定过，要进口的吗？"

"可现在库存没货。"关医生看着我。医生的眼里永远看不出什么秘密。

但我有一些预感到，这或许跟我的大肆报道有关。

因为术后拆线时，岳父遇到另外一个病友得知，同一天做的手术，他用的就是进口晶体。

你跟谁说理去？

无处可说。

任何事都有代价。

这是不是就是其中的代价？

10

对赫赫有名的中心医院的曝光，让我成了读者眼中的"铁肩担道义"。报道之后一周的星期一，一个读者跑到报社，指定要找我："爆猛料。"

听这位女士一聊，事情不大，但事关数千家庭，而且是孩子的事，是个好料。

什么事呢？

很简单，年底了，气温骤降，但这位女士的女儿就读的学校，死板得很，规定孩子不穿校服不准进校门。深圳是个南方之城，冬天的校服也很单薄。这可苦坏了孩子们，也急坏了家长们。

岂能如此僵化？

当然要曝光，要呼吁。

何况这所学校还是省一级重点：第一小学。

将来小宝要读的学校。

更加要监督之、督促之，使之变得更加美好。

我第二天就去了现场，暗访、拍照。

采访到了学校保卫处。

保卫处高傲得很："这是学校的规定，市长的孩子在这里读书，都一样必须穿校服，有什么好奇怪的。"

我要进入校园采访学校负责人。

被拒绝。

我问保卫处能否提供学校负责人的联系电话？

被拒绝。

为了把工作做得万无一失，我留下名片，表明我是来采访、来了解情况的，不是来讹诈的，希望得到校方的回应。

我在报社等到五点半。五点半，学生早放学，学校工作人员也下班了。

都没接到校方回应电话。无奈，我只好将校方保卫处的说辞、态度一一录入我的报道里。

下午六点半，正要把稿子发给编辑，一个电话进来了。

来人自称是校长助理。声音很淳厚："姚记者，校长刚从广州开会回来，想和你面谈一下。"

我必须得去。校长比保卫处更能代表学校。

校长很面熟。

他是人大代表，又是教育界的招牌人物，媒体上经常见到他。

早就听说过一句话，他这个校长顶半个市长。

小孩要进他的学校读书，副市长级别以下的条子、招呼，一概不管用。

牛不牛？

如果他的学校搬走，整个牛角塘片区的房价都要抖三抖，一批地产中介要关门失业。

牛不牛？

校长圆脸和善，声音低沉，跟他的助理的声音，几乎出自一个嗓子。

我把事先打印好的报道交给校长。

校长蛮怪，拿着稿子站起来，对着窗户，而且一边看一边念出声来。

降温了，能否不穿校服进课堂？

晨报记者姚奋斗 文／图

167

穿什么衣服上学，这在平时不是个问题。然而在气温骤降，人们纷纷裹上棉衣的时候，深圳第一小学的孩子们却依然要穿着单薄的校服，在严寒的天气里"硬扛"着，因为学校规定，学生必须穿校服上学。对此，记者实地采访，很多家长对学校这种死守校规的现象叫苦不迭，希望学校人性化执行规定，多一些人文关怀。

记者目击之一：可怜身上衣正单

......

学校保卫处：就是市长的孩子也必须穿校服

......

家长呼吁：特殊情况特殊处理

......

终于，校长一字一句地读完了，转过身来，说："写得很好。"

校长重新回到沙发上，给我移来一杯茶："姚记者很年轻啊。"

"三十已经出头了。"我说。

"哦？有孩子了吗？"校长没有进入正题，和我聊起来。

"有了。"

"几岁？"

"快六岁了。"

"快上小学了。"

这一来二往，心中明白大半。

这时，校长开始回应校服问题："学校保卫部门太教条，明天这个现象就不会有了。"

看我如实记下。校长起身，用力握手："感谢你们的监督，小姚，我们交个朋友。请你多爱护、支持。这次就不留你了，下次。来日方长，好吧。"

校长送我出校门。

微笑，挥手。

果然好厉害。

我不得不琢磨校长的话。

我不是蠢子，那都是话里有话。

中心医院临时宣布大宝她爸不能移植进口人工晶体的事，提醒着我，小宝的未来。

小宝能不能如愿在第一小学读书，跟这次报道，有关系吗？

没关系吗？

万事万物，中间暗含着千丝万缕的联系。

关系千万重。

花了120多万，买了一个第一小学的学位房，并不是上了保险。

虽然房子有学位指标。

可是有学位指标的人多着呢，自由裁量权仍在校方。

在校长大人手里。

一百二十多万，不是一百二十多块。

进口人工晶体没了，还可以拿国产的顶上。

第一小学上不了，可没有第二个第一小学了。

回报社路上，我打电话给大宝讲这个事，问她的意见。

她没有给我具体答案，只说："你自己做主，我支持你。"

越是这样，我越忐忑。

报道没发给编辑。

被我自我阉割了。

可是第二天一看，报业集团的一张报纸发了整整半个版面，还在封面做了大大的导读。

给我爆料的那位女士一大早打我的电话，一次、两次、三次，我都没接。

不敢接，心虚啊。

内部评报论坛里，有同事发帖子说："都说第一小学是老虎屁股摸不得，今天报业集团的同行，不就摸了吗？我们的《晨报》输得很难看。属于新闻漏报，重大失误，当追究民生新闻组的责任。"

下午，碰到组长老杨，他看我的眼神有点复杂，啥也没说。我跟他苦笑了一下，啥也没说。

能说啥。

11

君子报仇，十年不晚；小人报仇，一天到晚。

我就是小人。

"第一小学校服"事件之后，我暗自发力，无论如何要再抓一条"大鱼"，为民生新闻组挽回面子，报一箭之仇。

世上无难事，只要肯琢磨。

任何事都禁不起琢磨。

我琢磨到一个猛料。

几个月前，几乎每家报纸都登过一个新闻：污水菜。

讲的是郊区有一个蔬菜基地，长期取用一个小水库里流出来的污水浇灌，该菜地长的蔬菜，都是供应给周边十几个社区菜市场，并且这些蔬菜流进市场前没有经过任何检测。

这个新闻的结果是：经营菜地的企业被整顿。

这是一个典型的应付式新闻。

不了了之。

污水菜涉及十几个社区的居民的一日三餐。这十几个社区七八万人，外来工占百分之九十五。外来工不可能为了买一把青菜，下了班，还跑到市区沃尔玛、家乐福大超市里。那里的青菜贵得要死。只能在社区里买菜。

这影响多少人？

绝非小事。

新闻完全可以再追下去：这些污水为什么会从水库流出来，是谁污染了水库的水源？

想到可以雪耻，我半夜翻身查找旧报道。

我的记忆有偏差。这些报道其实有提到水库为何被污染的问题，只是没有打破砂锅问到底。

其中一家报纸提到：

部门说法：多次调查找不到污染源
随后，记者来到了水库管理处。管理处告诉记者，原来这里有二百多万立方米的水，现在已经减少到六十万立方米了，这里的水现在主要用来灌溉市里的菜篮子工程。以前这里的水质非常好，没有受到任何的污染，水十分清澈。这两年，很多村民都向管理处反映水质变差了。

其实，管理处很早就开始注意到水库的污染问题了。管理处曾经去现场调查过污水排放的情况，但是几次都无法找出排放污水的源头。由于找不到污水排放的源头，管理处无法对症下药，所以污染才会越来越严重。

尽管每家报纸引用的说法都大同小异，但我觉得这里有诈。

真的找不到根源吗？

这污水难道是天上之水？

显然，这不符合常识。

我要挖地三尺，把根源找出来。

做成一个轰动全城的独家新闻。

第二天，我开上越野车前往水库。

巧的是，水库所在的地方，正是大宝上班的地方——东部新区。

调查刚一开始，就碰到一个惊喜。

水库有人在捡鱼。

为什么说是捡鱼？因为水面上漂浮着大片大片的死鱼，和奄奄一息毫无翻身之力的将死之鱼。

四五个男子，一根长竿子，套个网子，忙活得不亦乐乎。

多好的场面，我咔咔几个快门，把鱼和男人们都纳入了我的镜头里。

收起相机，假装成无所事事的人。

水库不小。灌木丛包围着它。水是黑的，像一个巨大的砚。

之前查过资料，随着周边几个规模工业区的建成，这个水库不再被政府用来储水，也就是说它的为人民服务功效已经不复存在。

使命不再，自然，水库成了自生自灭之地。虽然管理处还没撤走，但基本上形同虚设。

因为处于半荒废，水库外沿的路不好走。走了一个小时，都还没走完。

再加上灌木丛一大片一大片，别说要找到排污口不容易，就是要拨开灌木丛就够费事。

终于明白了，为什么没有一个记者找到排污口，为什么连管理处都说不知道排污口在哪里，就是因为，这事有难度。

新闻是脚走出来的，终于在这里找到了最佳注脚。

第一天，毫无收获。

第二天，再来，还是没有收获。

第三天，好事不过三，成了。

一个直径半米长的排污口，从一截陡坡上张开了血盆大口。大口外面长满了茂密的"花胡子"——蓬盛开的簕杜鹃，枝叶茂盛，花朵妖娆。

褐色的污水，正哗哗地流着，流进水库里。

这么一个排污口，要流多长时间，才能把这么个大水库给抹黑？

再找！

果然踩地雷似的，一连又找到了好几个排污口。

每个排污口都一一收进镜头。

爬上陡坡，往前走，一定要找到谁在排污。

一公里后，得到了答案：红曼家具。

这么一大片厂区都是这家家具厂的，难怪有这么多污水。

大门开着，来往的货车都挂着一个集装箱，看来生意很兴隆。

手机上网，一查，不得了，华南地区最大的家具集团、明星企业，这些年，以红木产品为主，以前主要出口国外，现在慢慢移师国内市场。

还有不少宣传报道："荣获年度环保示范企业"、"引进国际绿色生产线"，等等。

好大一只老虎。

要摸就摸老虎屁股。

这正合我意。

假扮来订货的。保安登记了我的证件，就放行了。

直取董事长办公室。

董事长办公室外，是一个会见室，会见室里一水儿的仿古家具，十分雅致。

首先问我的，自然是董事长秘书。

我递上名片，直接说明来意：采访。

到了这一层，你不直接说明来意是不行的。你说你是来谈生意的，不像。你说你是来正面宣传的，肯定会先预约。

只能开门见山。

白衬衫、花领结、黑色一步裙、肉色丝袜、高跟鞋，一身标配的小秘书，脸都绿了。第一反应是："董事长不在，请你明天再过来。"

"能否请相关负责人谈下这个问题。"我不可能撞开写着"董事长"三个字的那扇褐色大门。

"请你稍等。"小秘书似乎镇静了一些，"我通知相关的人和你交接。"

小秘书到饮水机边给我倒了杯水。

不知道是故意还是紧张，她倒的是一杯开水，滚烫。

然后她举着电话到了走廊上。

想不到两分钟后，迎接我的是三个粗壮保安。

保安上来就抢我的背包，另外两个架住我，怒气冲冲。

他们把我的相机打开，应该是看到了臭鱼，看到了排污口，然后砸在地上。单反相机瞬间变成尸首各异，机身是机身，镜头是镜头，镜头盖是镜头盖。

"卡没收了，滚！"摔相机的保安，把卡取出，把机身、镜头、镜头盖扔垃圾一样扔进了我的包里。我被架了出去。

这一出戏，在我的应急方案中。

我一共有两张相机卡。每个场景，两张卡都给拍上。

我早就把一张卡藏在我的袜子里了。

也不想想我当了多少年记者，哼！

我出门报警。

在警车里做笔录的时候，打了个电话给组长老杨，老杨立即派组里的两个记者赶了过来。

两个同事下来一个，帮我带来笔记本电脑，帮我开车。我在车里开始写稿。

到了报社，长篇调查稿已经写完了。

老杨在报社门口接应我，说："已经给领导汇报了，明天一个版见报，还有记协主席接受采访，声援记者正当采访。"

想着即将面世的报道，一夜无眠。快到天亮时，听着大宝的呼吸声，迷糊了一小会儿。

12

报纸没登！

一开始浏览的是电子版。

没有。

再看一遍，真的没有。

难道是电子版显示的问题？

立即下楼看报箱。

太早，报纸未到。

冲出街去，找到报摊，买了一份。

铺地翻报，一个版一个版地看，真的没有。

怎么回事？

才七点多钟，太早。不好打电话问老杨，也不好直接问老总。

我回到家再翻了一遍，这回发现了一个新情况。

红曼家具两个跨版广告，赫然在目。

被公关了。

谁我都等不及了。

我打电话给老杨。老杨也蒙在鼓里。

我问昨晚谁是值班领导。

老杨报了慕总的名字。

慕总是副总编辑，兼分管广告、行政和人力资源。

直接打慕总电话。慕总显然知道我早已怒火三丈，半天不说话，似乎在等待我收声后再说。很久后，他说："算了，这事就到此为止，广告大户，必须要给面子。你写的稿，工分会记上。摔坏的相机，照旧赔偿。"

四两拨千斤。

说得好轻巧。

好一个面子！

跟他还有什么好说的。

"慕总大会小会不是最爱说'新闻是立报之本'吗？"我把慕总的话说给老杨听。

"兄弟，你幼稚了。"老杨骂了一句脏话，说，"你非让现实给你一巴掌，才知道社会有多虚伪。"

想起"第一小学校服"事件，想起组里被扣罚的一万元，想起歪瓜裂枣的相机，想起被粗壮保安钳制，怒火平息不了。

九点一到，我把稿件文图制作成长微博，发了出去。

有图有真相。

有蔬菜基地。

有臭鱼。

有排水口。

有红曼家具厂区外貌。

有破碎的相机。

有报警回执。

有两个跨版广告。

一目了然。

微博被大家狂转。

我坐在电脑前，宛如回到了多年前炒股的模样，盯着不断变化的转发数、评论数，不漏过任何一条评论。

没有一条评论是批评我的。

我稍微放松下来，靠在沙发上，没两分钟，睡着了。

被电话吵醒。

慕总打来的，火气比我打给他的还大："姚奋斗，你，现在，马上到我的办公室来。"

没等我说话，他挂了。

"去你妈的。"我骂出口了。

但我还是去了。我觉得这一骂都不过瘾，我要当面对证。

慕总见到我，完全失态。电脑屏幕上是我的微博。

"想造反？还是想当英雄？"慕总吼道，"还不把微博删了！"

想来好笑，我脑海里居然想起2002年的那个夏天，班里41个同学飙泪送我到北京西站时，一个考到中宣部当公务员的女生给我说的一句话："铁肩担道义，妙手著文章，咱们班的新闻理想就靠你了。"

多大的一个讽刺。

我何止不想理想一把！

可是难啊。

慕总看我对微博的事无动于衷，直接把我轰出了办公室。

看他要跳墙的急躁样，真不知道他向红曼家具承诺了什么。

老子偏不删。

转发已经过万了。

很多"认证大V"都在转发。

波及面很广。

这事我豁出去了。

哪怕警察找到我。

嘿，警察还真找到了我。

一男一女，看上去比我还年轻，尤其是那个女的，手里挎着一个小包，高跟鞋嘀嘀嘀的。

一切都像电影里那样，男子从屁股后面掏出一张警察证，轻声说："到走廊里，向你了解点事。请配合一下，谢谢。"

我当时以为是做笔录的派出所来汇报案情来了。跟了出去。

到了走廊，女子说："人来人往，不方便，不如到楼下车里。"

我跟着下了电梯，转到停车场，进了他们的车。

车里有一个司机候着。司机也亮了亮警察证，说："车里闷得很，到所里说。"

身正不怕影子歪。

去就去。

开了很远的路，但到的不是派出所，而是一个小宾馆。我被一前一后夹着进了一个小套间。

开车的男子坐在床上，我坐在一个塑料凳子上，面对面。

另外一男一女站着，低头摆弄着手机。

这气氛让我感觉不对劲。

"你违规进入红曼家具，涉嫌窃取商业秘密。"对面男子说。

我不说话。

"你这样做是违法的，要负刑事责任的。"男子又说。

我不说话。

"你赶紧把微博删了。"男子又说。

我还是不说话。

这时候，我的手机不停响起，我接了，他们也没拦我。

组里的同事打来的，声援电话。

我说："谢谢。"

电话不停进来，同行打来的，慰问电话。

我说："谢谢。"

我就这样一直在接电话，一直说"谢谢"。

坐在我对面的男子等我打完，一挥手："可以走了。"

他们把我送回了报社。

报社门口碰到老杨。

我把这两男一女的情况一说，老杨嘘了一口气："十有八九是假警察，恐吓你来了。"

可惜，恐吓无效。

接下来的一个电话，又是让我删除微博的。

让我为难了。

因为让我把微博删除的这个人，是大宝

大宝到报社找到我。

这事跟大宝有什么关系？

这事跟大宝还真有关系！

红曼家具厂属于大宝所在的新区政府管辖。

大宝是新区综合办宣传科的科长。

辖区企业长期排污，污染水库，导致"菜篮子"工程蔬菜基地出产污水菜，直接影响辖区十几个社区、七八万居民的食品安全。

要责任倒查，新区政府当然逃离不了干系。

这个时候，宣传科不出面，谁出面？

宣传科科长柴美好不打记者姚奋斗电话，谁来打？

一个曝光事件，让两口子对上了！

我忍不住笑。

是苦笑。

大宝无言。

"领导派我跟你说说。"大宝说，"我不想为难你，你自己做主，不管怎样，我都支持你。"

大宝转身走了。

轮到我无言。

想哭。

哭不出来。

小时候，以为自己长大后可以改变整个世界，等长大后，才发现整个世界都改变不了自己。

我拒绝了大宝。

我没有删微博！

我开始接受几个报纸记者的采访，讲述自己经历的过程。

有人跟进就好。

总有人敢掀翻老虎的。

比如武松。

老虎也不可能吼住所有人。

比如武大郎他哥。

晚上，我和大宝默默地吃着饭，没有说一句话。倒是我们的宝贝儿子，不停地在逗我们玩："爸爸妈咪，你们两人今天必须给我讲一个相声。"

大宝说："你妈咪今天挨批了！"

我说："哦？"

大宝说："因为没有完成领导交办的任务！"

我说："后果如何？"

大宝说："调离宣传科！"

我说："啊？！"

大宝说："下到基层街道办！"

我说："哦。"

大宝说："以后上班会更遥远。"

我说："哦。"

小宝嫌我们讲得不好听，找机器猫玩去了。

我看着大宝，第一次当着她的面，泪流满面。

13

没轮到麻烦行政部通知我调查结果，在毕业第十个年头之际，我，辞职了。

第一次做这么大的决定，没有跟大宝商量。

为什么要辞职？一方面是自尊心在作祟，我不愿意再看到慕总那副阴阳怪气的嘴脸，我甚至不愿意自己写的稿子被他删来删去。一到他值班的那周，老子干脆放假休息，不做一个报道。

另一方面，传统媒体日落西山。这不是谁的问题，也不是哪个国家哪个地区的问题，这是全世界的问题。这是时代往前发展的趋势，时代的大脚丫子，必定会踩死一些花花草草，报纸就是其中的一朵花一棵草。收入在减少，一刷存折就知道；影响力在减弱，一看地铁就知道。以前进地铁，人手一张报纸，现在呢，人手一部机子。都看手机了。

但我又是有所留恋的。

原因也有二。

第一，文字工作毕竟是自己的热爱。同时，在报社，关系再复杂也不会超过机关、企业。因为它不存在多大的团队合作，基本上还是单干户。

第二，不干记者，又能去哪里呢？虽然看上去到处都是机会，可都是口头承诺，不能全信的。而记者这份工作，马上就满十年了，满了十年，签的就是无固定期限合同，只要你不走，没人能奈何你。只要跟慕总低个头，事情就解决了。

想到要向慕总拱手，不情愿了。

天下之大，何处不是落脚点。

必须要做出选择，不能恋战。

我手写了一份辞职报告。

直接交给了行政部主任。

行政部主任有点吃惊，拖着官腔："下周一交给班子会议审议。"

我没有走电梯，走楼梯。

一层一层地下，感觉心空落落的。

十年记者生涯，就这么要结束啦。

十年里，每次匆匆进出这栋传媒大厦，都没好好研究下它的结构。

避难所在哪里？

我一层一层地走，走到二十层，找到了避难所。

从玻璃墙望出去，蓝天白云，绿草幽幽，车流汹涌，楼林如笋。

我对这座城市太熟悉了。眼前的每栋楼，我都叫得出名字来。

而今，我又将重新开始。

接下来要干什么？

停一个月不工作，收入来源在哪里？

想到收入，心慌了。

职业可以变，理想可以变，收入不能变。

不能变少，更不能变没。

少了，没了，吃什么，喝什么。

中产阶级什么都不怕，就怕变化。

越想越慌。

我走向电梯，按"上"，回到了行政部。

我想收回辞职报告，再好好想一想。

行政部主任的门开着，但人不在。

做贼似的，翻动着台面上的资料，抽出了我的辞职报告。

转身离开。

就在要下电梯的一刻，我在心里恨恨地抽了自己一巴掌。

返身。

把辞职报告放回了原处。

用订书机压在上面。

然后迈步走出办公室。我知道我的脸上写着两个大字：

"悲壮。"

但我知道，不管如何悲壮，我不能再转头撤回辞职报告了。

生活不能想倒带就倒带，想NG就NG，那是听歌拍电影。

报社的效率总是那么的快。一周后，辞职批了下来。交回门禁卡、扫走桌面上的书、取走档案，不到一个小时的时间，就正式宣布我跟这栋大楼、跟记者这个职业毫无关系，藕断丝不连。正是上午，编辑记者们都还没来上班，灯未开，偌大的办公室里空空荡荡、灰灰暗暗，一个个格子间，像坟墓。埋葬青春的坟墓。我的十年青春就埋葬其中，如今，人走魂散，连个墓志铭都没有。

来不及太多悲伤，走了出去。

接下来要干什么，仍是一头雾水。

甚至是一个谜。

我不能把这个谜底留给大宝和任何一个亲人。

那几天，我像正常上班一样，出门，晚归，面无杂色。

想起一部电影《开往春天的地铁》，徐静蕾和耿乐演的，耿乐就演一个失业的丈夫，每天假装上班，在地铁里晃荡一天，然后到点换上西装，回家。

我成了耿乐。

但我不喜欢到地铁里。我喜欢到公园里。

深圳的公园一律免费，而且风景宜人。

我在花丛中开始翻阅电话本、名片夹。这是这么多年积累下来的所谓的资源，或者人脉。希望从中寻找到合作的伙伴、新的老板或者其他的灵感。

有五个人值得我联系。

他们的事业都做得很大，大集团、上市、连锁等等。

我按名片上的电话打过去，三个居然是空号，一个转到秘书台，一个暂时无法接通。

空号！

大城市就这样，你三天不联系，对方就改号码了。人在城市里，要消失，容易得很，改个号码就可以了。难怪深圳有句名言："我可以天天请你吃饭，但我不能借你一分钱。"

在荔枝公园里晒了一个礼拜的太阳，突然想起这个月的房贷，我还没存。赶紧跑到银行去。柜台一问，超过一天了，扣不了款了，要下个月才一起扣，同时加收一个月的滞纳金。

"我现在就把这个月的贷款存上，这样扣滞纳金，只扣一天的。行吗？"我问柜台小姐。

"不行，错过了一天，我们就不扣款了，必须等到下个月再扣。"柜台小姐一边哗哗哗地拨弄着数钱机吐出的人民币，一边回答我。

　　"什么破规定！"一个礼拜的太阳把我的火气晒大了，我骂了一句，把笔狠狠地插进笔帽里。

　　"这我没办法。"柜台小姐一边捆着钱，一边说，"下次早点还钱，否则次数多了，银行会认为你不诚信。"

　　去你妈的！就这句"你不诚信"把我惹火大了。

　　"我怎么不诚信了！"我提高了嗓音，嚷了起来，"是谁让我们借钱？是你们银行。什么先消费后还钱，什么分期付款、零利率，什么钱不花不是你的，花了才是你的，是谁把这些观念塞进我们的脑袋？为什么要逼着人们借钱？事先诱惑老百姓，事后羞辱老百姓，金融资本就是这么无耻。还迟了一天钱，就说人不诚信，去你妈的诚信。知不知道中国人自古就有一个优良传统：不要借钱。成语'寅吃卯粮'，奉劝的就是超前消费！美国人诚信，不照样有几百万人断供！"

　　柜台小姐被我吓哭了！

　　泪如溪流。

　　所有人都看着我。

　　显然，我有点无理取闹。

　　我失态了。

　　我转身走出了银行。

　　一个老大爷跟上来，拍着我的肩膀说："你说得不错。我支持你。"

　　我苦笑了一下。

　　这时电话响了，是老妈打过来的。我没接，平复了下心情，找了个安静角落，打了回去。

　　老妈在电话里说："你大舅向你咨询个事。"

大舅问的是拆迁的问题。他有三间老屋,在老家小镇上,政府和地产商要联合起来搞开发,开高尔夫球场,球场边上建三十层的酒店式公寓。大舅的三间老屋正好在酒店式公寓的版图里。

"达不到你的条件,当然不干!"我给大舅出点子,"政府和开发商的钱,你这个时候不要,什么时候要?"

我开起大舅的玩笑:"你这三间小房,是有领空权的,酒店式公寓建起来了,三间小房头上的各个房间,都归你。"

大舅是个老实人,听到我出这个歪点子,赶紧打断我,说:"领空权太夸张,搞不得,搞不得,我要这么提出来,公安局不抓我,精神病院也会来抓我。"

14

大宝呢,被贬到新区下面的街道,没两天就适应了。"中央、省、市、区,我头上有四座大山啊,人家是'亚历山大',我是'亚历四大'。"乐天派总是看到事情最阳光的那一面,然后放大它,乐和乐和,"直接跟老百姓打交道,那个爽啊,最大的规矩就是没规矩,最大的顾忌就是无所顾忌,嘻嘻哈哈,直接打成一片,而且工资还有涨,更基层了嘛。"

听得我心酸。

嘴巴上揶揄着大宝:"从市委到新区到街道,真是水往低处流,人往低处走啊。"

"哎哟,还不都怨你。"大宝说。

"是是是,怨我没有配合你们宣传部门的工作,曝光了你们新区的明星企业。"我点着头,鸡啄米似的,"我离开报社了。"

"哦……"大宝"哦"了很久,然后问,"接下来,有什么计划，闲人？"

"闲着，闲着真好，软饭真香。"

"你要是李安，我就先养你十年。"

"真的养我十年？"

"真的，来，叫妈。"

"呸你一脸温柔的口水。"

"哈哈，我的姚李安先生。"

我不是李安。

即使我是李安，也不能让大宝养着。

大宝也养不起。

每个月银行的大嘴、孩子的小嘴，都得供奉着，断一天粮，他就跟你没完。

继续求职？

算了吧。

自己干点事吧。

干什么？

已经有主意了：微博营销。

我热衷于媒体与传播。

微博一出来，我就预测到这是一个革命性的浪潮。

不仅仅是工具。

超越了工具的意义。

它就是一个世界。

我成了最早一批使用微博的人。

一开始玩个人账号，然后玩公共账号。

像办报纸那样，我在微博上注册了一个"看这里"系列：@新闻热点看这里、@打折资讯看这里、@娱乐爆笑看这里、@健康养生看这里。

早上重点发布新闻热点，中午重点发布娱乐、笑话，晚上重点发布财经、打折。把写新闻导语的功夫，移植到微博里，简短、精辟、轻松。

平时各管各的，遇到要火的帖子，四号齐转。

这叫矩阵。

阵，布得不错，但毕竟没有足够的心思经营它们，粉丝上涨的速度起不来。但每个账号都有几条微博曾经大火过一把，转发上万，火烧连营。这都是以后吹牛用得上的案例。

粉丝不多，效益已现。

有人要求合作，希望发布他们的软广告。

有人想收购。

还有人私信邀请合作，帮忙维护企业官方微博、公司老总个人微博。

这里面的水很深，鱼很多。

但得首先学会游泳，成为高手。

这次，老子要下大力维护，而且要成立公司，招兵买马。

以最快时间注册了公司：微力传播。

公司口号和小时候看过的一个洗衣机广告，听起来一模一样："微力微力，够微够力。"

那个洗衣机叫：威力。

心里倒很清醒，得从小做起。

在家楼下租了个三居室，月租二千五百元。

旧货市场捡了一套长条餐桌、靠椅，一条布艺沙发。

到电子市场采购了四台电脑，一台高配，三台低配，花了一万多块。

选了一株发财树。

所有东西都放置在客厅里，一个工作室就这么成立了。

剩下三个空房干什么？

给员工当宿舍。

面对油价贵，房价高，交友难，宅是最低的消费水平了，何况还是宅着有工作！

多好的待遇。

招人。

招熟悉的人。

想起带过很多实习生，微博、QQ、短信，联系他们，第一句话："有工作吗？"

没有？

来，跟我干。

月薪二千五百元，包住宿。中午老板请客吃饭。

过来就是创业元老。

呼啦人马就这么拉起来了，三个老师一个学生。

都是公的。

自称：光猪四壮士。

干了起来。

很开心，像大学生活。

可以穿着睡衣上班。

讨论创意。

创作内容。

没大没小。

趣事多多。

三光猪，有一天发神经似的，我一进门就喊"董事长早上好"，一出门就叫"董事长再见"。

他们还畅想，有一天和大客户谈大生意，事完了，要去吃饭，怎么充面子。光猪一扮助理，助理在电话里嚷道："把董事长的奔驰600开过来。"光猪二演司机，回答："我在前往国际机场的路上，要接美国苹果公司的客户。"这时，我的台词是："算了，打车吧，节能环保。"

欢乐无极限。

有人请求发布广告。

每天都有专门的广告中介要合作。

可一问价格，五块、十块、二十块。

想想都看不上。

营销，多大的一个概念，怎么一个单也得五万、十万。

拒绝。

继续做内容。

只有支出，没有收入。

通往成功的路，无数条。可每条，总是他妈的在施工、施工、施工中。

第三个月，三个光猪的创业激情，黯淡下来了。

"老大，你是不是该主动出击，谈谈业务？我担心你最后欠薪跑路。"光猪一说。

"老大，你人脉不少，要利用起来啊，有美女客户，我负责勾引。"光猪二说。

"老大，没进账，天天掏你的兜，负罪感留在我们深深的脑海里。"光猪三说。

我说："好。"

倒有很多目标客户，都是交情不浅的朋友。

他们应该都有微博推广的需要。

把有需要的，罗列了一个清单。

清单列完，就等出击。

这才发现，引进来，容易，走出去，难。

打人电话，开口合作，挺难。

虽然是生意上的事，你情我愿，互惠互利，但就是觉得很难开口。

为什么？

三个字：怕拒绝。

拒绝多尴尬。

毕业十年，都是别人求我。

"兄弟，帮忙报道报道，发个新闻，哪怕豆腐块也行。多多关照，多多关照。"

"兄弟，来捧个场。不能发稿？没关系，人来就行。"

记者这个职业把我养成了一个不愿意求人的习惯。

对于一个不愿意求人的人来说，被拒绝，简直就是一个天大的侮辱。

伤不起啊，伤不起。

可必须走出去。

三个光猪在等着我。

要给他们希望。

我在名单中精选又精选。

找到了一家做服装的朋友。

他是总经理。

照例好招待。

他招待我。

按说，我来找业务，应该是我招待他。

他还把我当成记者。

无比热情。

还有一堆美女陪着。

"这是我们的公关部经理。"

"这是我们的销售部经理。"

端上来的菜，除了鲍鱼就是鱼翅。

我在心里苦笑："这桌菜钱，给我，三个光猪一个月的饲料钱
都够了。"

情何以堪。

如何让我开口谈合作？

如何开口让他掏钱做推广？

脸皮一下子薄了起来。

来来来，喝喝喝。

谈人民币升值空间。

谈流行趋势。

谈八卦。

就是忘了谈微博推广。

还有一个熟人朋友，知道我辞职单干了，也很客套，可每次
过去的同时，他又喊了一堆别的报纸、电视广告部主任过去，还特

别热心介绍"这是刚从《晨报》出来的姚总"。像我是来抢生意似的。我一点谈正事的欲望都没有,嘻哈几句,拍屁股走人。天下之大,老子又不缺你这笔钱买米下锅。

再谈一家。

周夫福珠宝公司副总经理大壮。

和他,可以开门见山。

因为我们两人认识七八年了,我帮过他无数次忙。他第一次来深圳就掉入招工陷阱,傻乎乎地信了中介,交了报名费后,第二天就喊过去面试,面试就念个名字就说OK了,然后要交制服费、工牌制作费、门禁卡工本费、上岗培训费,加起来好几千块,还押上了身份证。钱一交,确实让你上班,但下达的任务不是人能完成的,因此第二天就炒了你。当然费用是不会退的。等你再找中介,中介又再收你一次钱,介绍你到第二家工厂,然后你又被炒,以此类推。我接的爆料,跟着大壮找到了黑招工窝点。黑招工都是一帮烂仔,不但不退钱,还把我们关了起来。好在我早早做了多套预案,把手机藏在帽衫卫衣后面的帽子里,进了小黑屋,报了警。人证物证,警方捣毁了这帮诈骗犯团伙。

大壮知道我已经离职。

我直抒胸臆。

他也懂微博。

多余的话不用说,问了具体合作细则和报价。

然后让我等消息,他见到老板立即报告。

饭都没吃,挥手告别。

干净利落。

有点像谈事的味道。

心里比吃鲍鱼、鱼翅踏实多了。

可大壮几天都没消息。

我几次想问，但还是按掉了电话。

耐着性子，再等等。

等一天。等两天。等了一个礼拜。大壮还是没有来电话。

我知道，事情黄了。

我要再追问，没准把大壮推到一个尴尬境地。

没必要。

划不来。

生意不在仁义在。

友情万岁。

就在最绝望时，来了个大单。

我到中心书城买书，出来坐公交车时看到一件窝火事。

一排中巴，把公交站台给霸占了。

这排中巴，都是执法车，车身上刷着"某某分局"、"某某分局"。中心书城旁边是新的市政府大楼，显然这些车是来开会的。

开会也不能霸占公交车站啊。

想都没想，掏出手机，给拍了下来。公交车靠不了站，老人、孩子绕过霸道中巴，在两车中间、路中央，小心翼翼地上车。画面把车身上"某某分局"几个大字拍得清清楚楚。

马上上网，发微博。

执法车，违章乱停放，知法犯法。

霸占公交车道，侵犯公共资源。

老人小孩，弱势群体。

在路中央乘车，安全隐患。

又是周一，深圳交通一周里最令人窝火的一天。"黑色星期一"讲的就是挤不上公交车、挤不上地铁。

如我预测的那样，这条小微博，瞬间点爆人们的情绪。

骂骂骂。

往死里骂。

人们把挤车挤出来的一身臭汗和委屈，发泄在这条微博上。

火爆全城。

等我回到工作室，三条光猪齐齐伸出拇指："猪还是老的辣。"

微博也是媒体，也是报纸，也是电视台。

一百四十字起到的监督作用，不比一个整版报道弱。

一条私信发过来："你好，我是分局宣传科的工作人员，请告知你的手机号码，想同你说明下情况。"

这些措辞无比熟悉。

灭火的来了。

仿佛又回到了记者身份。

"怎么办？"光猪一问。

"我们这样直接拍人家的车，有没有问题，侵没侵权？"光猪二问。

"他们会不会动用资源，封我们的号？"光猪三问。

我知道光猪们担心我。小老百姓面对强大的政府部门，总是先矮了一截。

君要臣死，臣不得不死。

几千年的惯性思维。

我答："新媒体时代，人人都是记者。我发布的东西是亲眼所见。怕个屁。把我电话给他们。"

电话进来了。

他们讲话的那一套，我都能背诵出来。

"不好意思，既然你们承认我没错，那我就不能删除。"我三下五除二收了电话。

短信进来了："把你们公司的账号给我，一万块，马上打给你。"

一万块！

好大的单！

久旱逢甘霖！

三只光猪眼睛瞪得发光。

光猪一看着我。

光猪二看着我。

光猪三在抄公司账号！

"算了。"我说。

"不要他们的钱？"光猪们问。

"当然不要。"我说。

"牛叉，老大！"光猪们再次举起拇指。

我当然想要，可，能要吗？

"执法车霸占公交车道"微博事件，让光猪们发现了一个新的盈利模式：微博监督。

多少人有冤情？

多少人有委屈？

多少人是上访专业户？

帮助他们，顺带收点费。

穷人少收，富人多收。

谁说富人就没冤情，没委屈，不上访？

光猪一很快就拉来了一笔生意。

他的一个亲戚，小暴发户，家产千万不成问题。最近有了一桩窝心事，自己到一个边远城市参加山林开发的招投标，被当地黑社会黑了。刚一进招投标现场，牌子还没举，就被黑社会押到小屋子喝茶。条件就是不准举牌，否则，牌子举了，让你下半身永垂不举。后来还发现，黑社会跟拍卖公司也是一伙的。辛辛苦苦做了一年的调研，还和当地政府打通了关系，请客送礼，前期准备花的钱有十几万。十几万就这样没了，回到深圳后，想不过来，一定要举报坑人者。可是报社、电视都不介入，因为事情发生的地方太远啦，关键不属于深圳，地方媒体做不了外地的新闻。就是做了新闻，当地公检法，也看不到报纸，没用。

只有微博可以帮他。

微博无边界。

"他愿意出多少钱？"我问，"这回，我愿意，收钱，干。"

"他说不超过三千块。"光猪一。

"太少了。"我说，"没准我们就能帮他追回十几万的损失。太少了。"

他亲戚回话了："图片是我的，你们就动动手指头，百把个字，居然三千还嫌少！太黑了吧，比黑社会都黑！不行，我自己发，不就是注册个账号嘛……欺负我农民，不懂高科技。"

我哭笑不得。

生意黄了之后，四个光猪集体反思："三千块是不是就可以干了？"

这个行业是新兴行业，缺乏定价标准啊。

大钱赚不了，小钱嫌人少。

"微力传播"在最后一顿午饭后宣布解散。

每个月一万多的支出，我不解散，三个光猪都要主动解散。

解散前，我给三个光猪赠送"临别遗言"。

致光猪一：出名要趁早，房奴不要当太早。

致光猪二：你又不是人民币，怎么可能人人都喜欢你？帅？帅有屁用，买单时又不能用脸刷卡。

致光猪三：再丑也要谈恋爱，谈到世界充满爱。

三个光猪也赠我一条"临别遗言"：

致猪头：作为失败者的典型，你实在是太成功了。

我还给每个人赠送了一个微博账号。

我自己留了一个粉丝最多的。

三个光猪倒很讲义气，把他们手里的公共账号打包卖给了一家团购网站，整整六万块。

六万块打到公司账号上。

公司终于有了一笔大额度的收入，当然也是最后一笔。

事后，我算了算，公司开了半年，房租、工资正好也是六万块。

等于我第一次创业并没有亏本，反而赚了。

赚了什么？

四台电脑。

一套二手座椅、沙发。

还有一棵发财树。

发财树倒是长得很茂盛。

非常吉利。

我和大宝抬着发财树，大宝说："这次平本，下次发财，奋斗奋斗，继续奋斗。"

看着大宝傻乐的样子，我问："你对我怎么总是这么乐观？"

"咳。"大宝背台词似的说，"爱情不是最初的甜蜜，而是繁华退却依然不离不弃。"

感动得我一塌糊涂："下辈子你不嫁给我，我都要嫁给你。"

我真的是发自肺腑。

幸福不过三件事：有你信我，有你挺我，有你陪我。

15

我都怀疑大宝偷偷修过心理学。她越是对我放心，我就越紧张，越不敢懈怠。

于是，第二次创业又开始了。

这次认清了自己的致命弱点：羞于求人。

是真的羞于求人吗？有时候我又反思，觉得不是。

之所以现在是，是因为生活没有把你逼到最后一个角落。

"微力传播"盘子小、投入小，即使亏光，也不会伤到筋动到骨。

要真是整个家底都投进去了，你的自尊还有那么值钱吗？

第二次创业还是跟传播、传媒有关。

这次做的是电视。

当时给"微力传播"租房的时候，我就注意到一点，这个小区的房租不但比周边的贵，而且空置率很低。问中介是什么原因？中介说："珠宝创意园带旺的。"

以前没怎么注意，这次一找房子，才发现这处原本破破烂烂的水贝工业区，摇身一变，成了创意园区，全是珠宝企业。

一到晚上，站在"微力"阳台上一望，各种超大屏幕的LED广告，全在播放着性感美女，和她们手上、脖子上、耳朵上的珠宝。黄金、白银、钻石、翡翠、玉。珠光，宝气。

因为有政府的扶持，水贝片区早已形成了完整的产业链：自有品牌、原材料、代工、包装、专业市场，等等。每到文博会，"中国珠宝看深圳，深圳珠宝看水贝"的标语，满大街招摇。

百度一下资料，四组数据足以说明问题：汇聚了一千五百多家珠宝企业，生产及交易量占全国市场份额的五成以上，拥有黄金珠宝"中国名牌产品"二十四个，全国只有五十二个，占百分之四十六。

当时我就过了一下脑子，产生一灵感：这个产业这么大，但是除了一个珠宝网之外，还没有一个专业的媒体服务这个超级集中的产业基地。报纸没有专门的珠宝行业版。电视没有专门的珠宝节目。全都分散在服饰、时尚一类的板块里。

怎么会这样？

这是对深圳珠宝产业蓬勃发展的蔑视。

简直就是有眼无珠，看不起有钱人。

无巧不成书。

微博营销关门第二天，中午，周夫福珠宝的大壮，嘀嘀嘀，猛打我电话。我打回过去。大壮似乎正在电梯里，信号不怎么好，呜呜啊啊的，最后只听到一句清晰的话："刚在电梯里，时间，现在过来，地点，开心酒楼。"

闲着没事，过去了。还以为大壮要跟我说微博营销的事，谁知道他根本没提："今天吃饭的理由是，我做总经理了，CEO。"

得意得忘了我当初找过他的事。

就两个人吃饭，又是在包间里。我聊起珠宝推广的事：外包一个电视节目，为水贝一千五百家珠宝企业服务。为什么是电视节目不是报纸呢？因为珠宝，更适合视频、立体、灵动、精致。要是放在报纸上，新闻纸黄不溜秋的，不好看，要是黑白版面，更是糟糕，真的都变成了假的。

"好啊。我们周夫福一年的广告费近千万，都没花出什么效果。"大壮的这句话太给力。

媒体运作，对我来说，简直就是小儿科。不用打草稿，我就把节目的框架搭起来了。

我说："这个节目，目标就定位在水贝这个圈子，就是宣传企业、推新产品、新设计、新品牌，当然，宏观方面，还有国家、省、市、区的政策发布，行业的重要资讯。栏目我随口可以说出的有：新品牌、新产品、新设计、新人物、新动向、新资讯。'新人物'可以做企业家、设计师的专访。节目每周一期，播完之后挂在网上和官方微博上。同时做活动，每期有个销售排行榜、新品人气榜等。还有年度珠宝大赏，评十大品牌、十大设计等等。还有慈善之夜，等等。"

"我看可以有。"大壮咬着手指说。

"做到真正的全媒体，线上、线下相结合，节目、活动相结合。"我灵感又至，"节目名字就叫《天下珠宝》。"

"好，大气。"大壮和我碰了一下茶杯，"我们怎么参与？"

"参与办法很多。第一，独家冠名，一年多少万，这个钱，我给你折算成超值的宣传费用；第二，你们入股，承担节目初期的运营，赚了钱分红；第三，你个人入股，条件是让公司冠名或者特约播出。"我说，"你现在是总经理，在老板面前是说得准话的人。"

我就知道大壮会对第三条感兴趣："个人怎么个入股法？"

"你让周夫福冠名。你就算入股。你不用投钱，只管收益。但是节目筹备期，你要带我去拜会珠宝协会的领导、创意园的领导，建立联系，因为以后少不了协会和创意园的支持。还有人才推荐。这个节目说白了就是软广告节目，需要懂珠宝的各种人才。"我说。

"就是不入股，我也会帮你建立这些联系。"大壮拍着胸脯说。

"那也可以直接把赞助费的回扣还给你。"我嘿嘿地笑着。

我都不知道自己是怎么想到"回扣"一事的，灵光乍现，一套一套的，搞得自己像个久经商场的老麻雀。

或许是社会新闻做多了，无师自通。社会的潜规则，无论哪个行业，其实都是通的。一句话：互惠互利。

大壮让我定一个具体的钱数，如果独家冠名的话。

告别大壮，我直奔电视台，找到了老友冰山。

冰山是时尚频道的执行总监。珠宝对时尚，对得上。

在电视台楼下的星巴克里，咖啡都忘记了点，我便开口："兄弟，今天急着找你，是想让你入个干股。"

一开窍，全部开窍。

我好像打通了生意场上的任督二脉。

一句话就打动了冰山。

注视着我，等待下文。

我把《天下珠宝》节目的播出内容、时间、时长、重播次数告诉了冰山。

强调："给我一个折后的最低价格。"

冰山从手机调出一个外人永远看不懂的广告价目表，按着计算器，半天报出一个数字：不包括制作费用，一年一百五十万，已经是最大优惠；可以两个月一付。

掐着这个数字，我连夜写了一份商业策划书，独家赞助，一年，一百八十万。

第二天就邮件给了大壮总经理。

这次大壮反馈速度之快，跟刘翔2004年那场百米跨栏一样，超出我想象。

第二天中午，大壮又是在电话里通知我："刚在电梯里，时间，现在过来，地点，开心酒楼。"

开心酒楼啊开心酒楼，真呀真开心。

大壮说："老板同意，一百八十万。但是分三次支付。每次六十万。"

我故作迟疑了几秒钟，然后吐出两个字："好吧。"

房子就租在创意园里，一个很旧的老房子里。

还是三房一厅。

这回，房子不能做员工宿舍了。

招兵买马。

也不是光猪四壮士了。

八条枪。

财务、行政一人挑。

剩下三男三女都是记者，其实就是业务员。

还有一个美女负责撰稿和外拍出镜。

全是85后，青春无敌。

岗前培训，我讲的全是干货。

我对三个男业务员说："我谈恋爱的时候，一直以为最令人心碎的话是她对我说：'我们分手吧'或者'我爱上别人了'，现在才知道我错了，应该是：'天是蓝的，海是深的，我对你是真的，爱你是永恒的，但是没有房，嫁给你是不可能的！'加油吧！"

我对三个女业务员说："有个段子是这么说的：你看芙蓉姐姐看什么？脸蛋、身段、胸？白活了。仔细瞧，芙蓉姐姐全身上下就写着三个字：不要脸。这是芙蓉姐姐成功的秘密。我觉得说人家不要脸是不对的，正确的应该是：不要脸，不要脸，坚持不要脸。加油！"

主持、摄像、制作，全是外包。

现在这个年代最大好处是，技术永远是第二位的。

办公场地小，但不影响"天下珠宝"牌子挂得大，挂得显眼。

和创意园标牌挂在一起。

三男三女业务员不用打卡，全部放出去。

只要完成任务就是，管你在哪里潇洒。

我坐镇指挥。

当业务员跟企业有了实质接触，我就出击。低三下四、客客气气的事，有业务员在做，我扮演的就是一个行业专家，绝不轻易谈节目合作。先谈中国文化，谈创意趋势，谈行业动向，观点绝非大路货，绝非老调重弹你知我知大家知，一定会出新，一定会打通，跨界，跨N个界，信息量大得你脑子装不过来。触动你，让你有所琢磨。琢磨透了，你获益。琢磨不透，你要想着法子让我说明白。

姿态很高。

永远保持神秘性。

往往事情就成了。

即使当场不成，也在酝酿着成。

谈业务跟谈恋爱一样，神秘性必不可少。

但又不能太神秘，要露出冰山一角，这个一角还必须是货真价实的，你不能搞个泡沫代替。

我手里货真价实的东西，就是一个实实在在的电视节目，每周播出几次，收视率是几，受众是什么人。这个东西播出后，还在别的什么地方二次传播。

看得见、听得到。不是空手道，不是把你当白狼。

每天要制造这神秘感，让我压力巨大。

每天都在学习。关于珠宝，关于中国文化。

光中国玉文化，都可以讲一年的"百家讲坛"，你说博不博大、精不精深？

永远都是小学生。

永远都是大海绵。

不停学习、吸纳，一些精彩的段落、故事，甚至要背出来。

故事讲到哪里该停顿，该看着对方，都有讲究。

有事没事我就跟大宝、大宝爸妈讲珠宝故事。

其实我是在演习。

他们不听，我也要转到他们面前讲，眉飞色舞，唾沫横飞，疯癫痴傻，十分入戏。

真的是，生活不易，全靠演技；把角色演成自己，把自己演到失忆。

好在有周夫福前期六十万做基础，让我能够从容地学习。

节目在珠宝行业内的知晓度，在第三个月达到了百分之八十五。

每期的收费广告占到了节目时长的一半以上。硬广告签下了三个，一个签了一年，两个签了半年。

一个人，如果你不逼自己一把，你根本不知道自己有多优秀。

终于成了。

16

牛皮一次次地吹，广告一单单地签，节目一期期地播，账目一笔笔地入。如果就这么风平浪静，真是对不起操着一口河北口音、四处布道的延参法师的名言："绳命，是剁么地回晃；人生，是入刺地井猜。"（生命，是多么的辉煌；人生，是如此的精彩）。

三个月，节目进入常态化后，我脑瓜子里在琢磨着如何开辟第二战场的问题。

当然不是炒股票。

宁愿让钱烂在银行里，也不愿让钱折腾在股市里。

我根本不适合股市。

玩不起那个心跳。

机会来了。

一次跟搞珠宝包装的洪老板聊天。我们经常聊天，因为他喜欢聊传统文化，而且公司就在我们节目组的楼下。我每次穿过他们公司，进入洪老板的办公室，就宛如穿越。所有的员工，男的，唐装，女的，汉服，墙纸是敦煌飞天壁画，座椅是仿古家具，地毯印着水墨写意。我瞟了一眼，设计师电脑界面都是陆游的句子："红酥手，黄藤酒，满城春色宫墙柳"。前台迎接你，不说"请"，说"有请"，不说"请喝茶"，说"请饮茶"，玄幻得一脚踏进古时候。

见我坐定，饮茶一盏之后，洪老板拿出一本杂志，护在胸前说："一生一世，高山流水，觅知音，你和它的缘分到了。"

"啪"，杂志丢在茶案上。

《史鉴》。

我翻到版权页，一看便知。

原来洪总还有这个理想。

这本杂志是正式出版物，刊号是西北一个小城市文联的。洪总给买了过来，做成《史鉴》，月刊。内容很平淡，主要是原创少，几乎没有，净是些文摘，然后就是洪老板公司的彩页广告。这杂志我还是第一次见，估计就是个自产自销、自娱自乐。

"很漂亮。"我说。

"你来把它搞得更漂亮。如何？"洪老板相亲一样，盯着我，"这杂志每年刊号费是八十万，内容只要是历史就可以，没有人干涉。每期往西北寄三本，他们存档。"

报纸。

微博。

电视。

现在又杂志。

跳来跳去还是跳不出传媒这只如来佛掌。

我当然有兴趣。

"可以做。"我若有所思，提出自己的看法，"《史鉴》这个名字要改，历史是人写出来的历史，本来就是主观的，为胜利者服务的，有本书叫《历史不忍细看》，讲的就是历史除了教科书里讲的外，有很多种面目……"

"史鉴史鉴，我当时取的是'以史为鉴'。"洪老板插嘴说。

"这个名字太主旋律、太硬，像中央政策研究室的内刊，不够中性、平民。"我说，"关键就在这里，'以史为鉴'，这个

'史'是谁的史，是教科书上的史，还是不为人知的史？是教科书上的史，那大家看你杂志有何用？你这本杂志的读者群一定是三十岁以上、学历至少本科，而且是中产阶级，而且男性居多，绝对的高端人群。"

"对对对，你说得对，这个杂志的读者就是高端人群。"洪总呼应，"你说怎么改？"

"把两字调过来，《鉴史》，历史由大家来鉴定嘛，就像'鉴宝'节目一样，真伪大家来鉴定，这样更有亲和力。"我出了这么一个点子。

"好，《鉴史》好。"洪总起身加水、倒茶。

《鉴史》的合作就这么开始了。

洪总除了支付刊号费，撒手不管，杂志的约稿、编辑、设计、制作、发行、广告全由我来搞定。

我之所以愿意接手，当然是看中了杂志的广告。

看中七……烟……钱，第二声！

这个杂志让《天下珠宝》多了一个平台、一个促销手段。凡是在《天下珠宝》做广告的，量或者总金额到达一定标准后，我送她一个P的杂志广告。

《鉴史》杂志读者定位都很高端，这不跟珠宝又对上了吗？

有年份、老品牌、传统文化的珠宝企业，尤其适合到《鉴史》上亮相。

一方面，算盘打得很如意；一方面，压力来了。

没办过杂志，但我听过一句话：如果你恨一个人，请让TA去办杂志。

果然如此。

每期的封面选题是头等大事。

做杂志永无停歇之日，一期出刊了，下一期的选题又逼上来。

更何况我们还要紧扣当下。

绝不是历史知识的普及，更不是野史戏说的哗众取宠。

还有，名家约稿，何其难。

一个一个地求，先从深圳几个高校求起。然后让他们互相推荐外校的学者。还不能全是高校的学者。高校的学者别看学位都是博士博士后，可能写文章，会写文章的，嘿嘿，不多。还得挖掘社会上的牛人，包括作家、编剧、畅销书作者。没时间写没关系，嫌弃稿费低也没关系，不写就推荐作者，推荐了，终身赠送杂志。细胞裂变一样，扩大作者队伍。

名家稿子有一个共性，那就是你要有耐心，要等。

他都答应了，但是不到最后一刻，你不能放松警惕。

短信、微博、邮件，要克制着，不动声色地催稿。

他不交稿，你还不能说他不讲信用。

他一句"没灵感"，"写得不好拿不出手"足以让你理解万岁，还觉得他德艺双馨，永远活在人民心中。

还有校对。天哪，杂志都印出来了，错了一个字，是普通字就算了，错在关键字，把邓小平爷爷错成了"邓水平"。这个错误，杂志要出了街，杀头，都有可能。怎么办，那一面页码，几万张，全部销毁。

……

好在第四期就打开了局面。

第四期正是9月。

封面主题，当仁不让是"九一八"。

历史回望、打捞、印证、反思。

还有近年来，国内民众保卫钓鱼岛的爱国游行。

都做得中规中矩。

但有一篇小文章，被坊间传遍。

这篇小文章之所以引起争议，又似乎在我的意料之中。

临开机印刷前一分钟，我还在想，该不该放这篇文章。

我还是想冒险一下，因为杂志不温不火地做着，不是我的性格。

这篇小文章是什么呢？并非出自哪个名家，而是腾讯网的一篇旧报道。

日本"爱国右翼"并不怎么受待见

2012年9月10日下午，日本政府正式通过钓鱼岛"国有化"方针。日本非法"购岛"后，中国政府坚决反对，要求日方撤销错误决定，并公布钓鱼岛领海基线，终止了一系列的与日本的官方交流活动。

钓鱼岛冲突至此达到沸点，中国国内民众也纷纷通过游行示威、抵制日货等行动表达爱国情绪，用外交部发言人洪磊的表述，"举国上下对日方错误行径义愤填膺"。

知己知彼，方能占据国际竞争的主动，那对于钓鱼岛冲突，日本民众的反应又是怎么一个状态呢？

一、对比中国，日本民众的确不够"爱国"

1.领土主张：仍有民众不认可政府立场

......

2.爱国基调：多数人不会从"领土不可侵犯"、"爱国主义"去考虑问题

......

3. 批评政府：政府把中日关系搞得乱七八糟

......

4. 抵制中国货：没有因为钓鱼岛抵制中国货

5. 中国人安全：游客和留学生生活不受影响

......

文章的第二部分是原因分析。其中谈到教育体制：

战败后，日本开始反思，他们认为教育的错是很大的一个原因。军国主义的教育，让年轻人效忠天皇，天天唱君之代，升日章旗，宣扬武士道精神，崇尚国粹主义和皇国史观，用狂热的爱国主义把一批又一批的年轻人培养成了敢为国家献身的人肉炸弹。教育领域成了日本社会开始反省的排头兵，而大中小学校的教师，可能算是社会中思维最活跃最开放的人群。日本的教师们成立了发起运动的组织——日本教职员组合，这个组织在战争结束时的规模非常大，参加的日本教师比例甚至达到了90%。他们反对一切战争时期的教育模式，国歌，不要唱了，国旗，不许升了，天皇，不许提了，甚至连爱国这两个字都成了教育界的屏蔽词。

文章的结语是：

这里不做价值高低的判断，只给读者留下思考的空间，两个国家，两种不同的"爱国"方式，给您留下怎样的启发？

为什么火？因为赞的、骂的，都有，而且理由，一万个充分。

赞的说，值得反思，反思国人心态、反思国人教育。

骂的说，汉奸媒体，纪念日前说日本鬼子的好，滚出去。

任微博上数万个@鉴史，我们无动于衷。

笑骂由人。

我们的目的达到了。

人们知道有本杂志叫《鉴史》。

连大宝都花了二十二块钱买了杂志，晚上散步时悄悄问我："你这样办杂志，会不会有什么风险？"

我问这位中国最基层政府单位的宣传科长："柴科长，你说的风险是什么？"

"政治风险。"大宝说。

我答道："我会把握这个度，尽管这个度，从来都是你们宣传部门说了算。"

大宝的提醒，我当然牢记着。

可有时候又没办法，杂志要脱颖而出，必须要有个性，而个性又和危险性成正比。

真正的如履薄冰。

为了提高关注度，我出了个主意，让读者点题，让读者决定下一期封面报道的主题。

微博上反响很热闹，投票最高的题都是地雷阵。

历史上的中产阶级，我们做了。

历史上的造神运动，我们做了。

历史上的宪政改革，我们做了。

历史上的学术自由，我们做了。

汽车、名表、高尔夫、游艇会广告都进来了。

全是男人品牌。

第八期后，终于有了盈利。到了第九期，一算账，两期盈利就补上前八期的亏空。

关键是名声出去了。

名声有了，就有了一切。

一些高傲的学者，开始转发@鉴史的微博，因为当期有他们的文章，因为他们想引起我们的注意，向他们约稿。

洪总设宴款待，酒过三巡，洪总问我："下期的主题是什么？"

我说："历史上的官员财产。"

洪总听都没细听："好，让历史介入现实，让历史照亮梦想。"

洪总这句话，成了《鉴史》的墓志铭。

现实确实介入了，但始终没有照亮梦想。

《鉴宝》在这一期玩完了。

17

"历史上的官员财产"，整个专题基调一点问题都没有，列举中国历史上著名官员的敛财和投资故事。东汉外戚梁冀、南宋权臣陈自强、明朝御史刘观，还有大名鼎鼎的和珅。

错就错在我总觉得这个专题少了那么一点点力度。

这个力度就是对现实的介入不够。

我们在专题最后加了一条小尾巴，是个评论：《可见财产公开是多么的重要》。

评论文章不长，借历史说历史，但文章结论延伸了一句：政府每年公布年度预算、审计报告，远远不够，官员也必须公开个人财产，只有这样，才真正称得上阳光政府。

做梦都没想到，这么一个四平八稳的呼吁成了惹事之毛。

有人在微博上说，写这篇评论的作者弩张先生被有关部门调查审问了。

微博之说，很快得到了证实。

弩张先生的老婆打电话打到我手机，她万分惊恐地说出一句话："你们要负责。"

网络上迅速传播。

我们确实要负责。

飞机、汽车，我第二天中午就抵达了黄沙飞舞的西北小城。

等我在一个二层小楼里见到弩张先生时，他正一手一个热腾腾的包子往嘴里送，看来是饿坏了。

我打了个招呼："我是《鉴史》的执行主编。"

弩张先生"哦"了一声，还没来得及细说，我被两人用力一推，推上了二楼的一个办公室。

我这才发现，这个二层小楼是文联办公地。《鉴史》刊号就是这家文联的。

跟我对话的是文联主席。

旁边站着的是当地的公安机关。

文联主席那个激动啊，口头禅是"你知道不知道"："你知道不知道，你办的杂志，闯下了天大的祸，我的脑袋正挂在你们的笔杆子上，你知道不知道。"

"上头追查下来了，查在我们的头上，两个选择，要么逮捕你的作者，这个愤青惹的事多着呢，要么收回我的杂志，终止合作合同。"半天的"你知道不知道"之后，文联主席把诉求讲清楚了。

我说："杂志不是我一个人的事，我只是一个干事的主编，我回去跟主编洪先生汇报，再给你答复。但我的作者，你不能扣，关他什么事。"

"汇报个屁，今天必须做出决定。你知道不知道。"文联主席挥着手，都快碰到我鼻尖了，一张合同书按在我的膝盖上，甲方那一栏早早填好了文联主席的大名"黄土"，公章盖得端端正正。

我这才反应过来，这就是一个局，文联动用当地警方，拿作者当诱饵，把我引过来，要收回杂志。

我必须要跟洪总汇报此事。文联主席不耐烦地指着一个房间："去去去，你进去说，别让我看见你那熊样。出来给我答复。"

暴躁得像只断了尾的四脚蛇。

我打到洪总手机。

洪总这才告诉我："我确实收到过文联方面寄过来的公函，说他们接到上头的警告了，让我们不要再发敏感文章，否则要追究责任。可我一想，刊号合同还没到期，而且杂志这么火，就没告诉你。"

"你应该第一时间告诉我的，洪总，你对媒体太不了解了。你不但把文联害了，还把我们自己搞得很被动。"我在小屋里跺着脚，"办报纸有句话，叫'政治家办报'，为什么要用政治家的头脑办报，讲的就是这个政治风险。别说作者，你我都随时有事。"

"我想到的是在商言商，没想到政治层面。"听到我说"你我随时都有事"，洪总也有点紧张，"怎么办？"

问到怎么办，我突然又硬了起来："杂志不能被他们收回，合同都没到期。"

我对《鉴史》有感情！

这本杂志不仅开始让我赚钱，而且还多少寄托着我的一点点情怀。

一个专题、一篇文章、一句标题、一张旧图，借古讽今，反照当下，"以铜为镜，可以正衣冠；以史为镜，可以知兴替"。

不能说没就没了。

除非国家出版总署下文。

岂能让你一破文联主席说了算？

《鉴史》读者说了算！

"那又怎么办？"洪总完全等我做决策。

一时我也想不出办法。文联主席的意思很明确，要么扣人，要么收刊。在他们的地盘上，不可能来硬的，天高皇帝远，让你活不见人、死不见尸，不是没有可能。

就在我们在电话里沉默着的时候，一个女人进来了，一开口，我就听出了她是弩张的妻子。微胖，穿着合体，但脸色白得像张纸。

弩张妻子显然还没从惊吓里走出来。她坐在我身边，絮絮叨叨起来："我和弩张都是中学老师，在一个学校，教同一门课，语文。我也是受过高等教育的人，我当然知道他的文章肯定没错，但我们惹不起啊。我们在这个小城里，有房贷，有车贷，还有三岁的孩子，两边老人四个，我有一个妹妹，他有一个弟弟，都巴巴地指望着我们。这次要真的把他扣起来，不管最后有事没事，耽误上班啊，少一个月的工资，我们家就没法运转。"

这个女人的絮叨，像一坨藏着飞针的棉花，软绵绵地，飘过来，扎得我心疼。

她让我想起很多。

想起大宝，为了多点工资，去到新区，长途漫漫。

想起我们，为了买房，办起假离婚证。

想起我，为了孩子读书，把写好的批评报道撕碎，丢在风中。

无言。

长久的宁静。

我和她不约而同地看着窗外，一棵核桃树上，有只猫。猫徘徊在枝丫上，好像是想跳下去，但又不敢，来来回回地走着。

看到地上有一个烟盒。我捡起，摇摇，里面居然有一支烟、一个火机。我把烟顺直，点燃，吸了。太呛，我掐掉，起身，走出房间。

我在合同书上签下"姚奋斗"。

特意在小城住了一宿。夜里，提着水果，在弩张老师家做客，烈酒浇喉，放声歌唱。

《鉴史》灰飞烟灭。

《天下珠宝》青黄不接。

水贝珠宝创意园，一千五百家企业，两头小，中间大。两头，上头，品牌知名度较高的，下头，亏本做不下去的。中间，代工企业、品牌没起来的企业。有品牌的企业，都被我们扫了一遍。但也就能扫一遍。

珠宝行业比较特殊，他们确实投放的广告量很大，但绝大部分投在全国媒体上，因为产品撒向的是全国各地。《天下珠宝》毕竟是地方频道地方媒体，这是致命的一点。第二点，珠宝公司轻广告、重渠道，他们更愿意花钱跟商场做活动，拉动门店销售。在《天下珠宝》宣传了一次，销售不见快速上涨，他们没有耐心再来第二次。

这都是我后来了解到的。

有人想接手。一家正在运作上市的珠宝公司，他们要收购《天下珠宝》。他们需要这么一个宣传阵地，讲好故事好融资。

我有点舍不得，想再深度拓展下市场，但感觉力气用尽。

算了。

江湖险恶，不行就撤。

有时候，像傻逼一样去坚持，会看到牛逼的结果，但也可能是更傻逼的下场。要看情况。

不能像小时候刮彩票那样，刮出个"谢"字还不扔，非要把"谢谢您"三个字刮干净才舍得扔掉，这样的坚持，只会徒增失落。

看到个"言字旁"就放手吧。

就这样，好聚好散。散伙那天，《天下珠宝》节目组、《鉴史》编辑部十几条人，酒肉欢歌，斯文扫地，原形毕露，拉着小手，扶着酥肩，互赠礼物，依次合影，不舍之情，宛如恋人。劝君更尽一杯酒，西出阳关无故人。

哎呀妈呀，情深深雨蒙蒙啊。要酒再过一点，我担心有几对就要开房去了。

和"微力传播"散伙一样，我给两名主创赠送"临别遗言"。

对《天下珠宝》的销售总监"翻版李玉刚"说："给你讲个小故事：石阶问佛，妈的，你我皆石头，凭什么我被人踩，你被人景仰？佛说，靠，你变成石阶前，只挨了六刀，我，饱受千刀万剐。"

对《鉴史》专题编辑"翻版柴静"说："幸福掌握在自己的手中，而不是在别人的嘴里！坚持自己的选择，让别人说去吧。"

我还把手里的一套莫言短篇小说集送给她。"翻版柴静"给我客套起来："无功不受禄。"

"那就笑一个。"我说。

18

我又自由了。

以前是一天到晚想死的鱼，这次我是真的想好好休息。

可越是这样，找我的人越多。

老杨也从报纸出来了，忽悠我和他一起做一本新闻周刊。

"赚钱不？"我问。

老杨说："不敢担保。"

"不敢担保我不干。别跟我谈理想，戒了。哈哈哈。"

以前民生新闻组里的一个小同事，小陈，创意无限，也从报纸里出来了，力邀我和他一起推广一个移动互联网，让我当老大。

"赚钱不？"我问。

小陈说："一时半会赚不了钱，做的是高端人群，但不用担心，因为有人投资。"

"赚不了钱我不干。任何不专注'屌丝'用户的移动互联网都是耍流氓。哈哈哈。"

搞珠宝的大壮，不知什么原因辞掉了CEO，也单干了，投资影视，给我发来一个省台的娱乐节目外包方案。

"赚钱不？"

大壮说："完全拷贝美国模式，煽情、励志、草根，想不赚钱都难！"

"与有缘人，做无耻事，赚钱我就干！哈哈哈。"

大壮给了我一个月的休假时间。

带小宝去了一次香港迪士尼。

带大宝爸妈去了一趟新马泰。

回老家一趟，坐在教室后面，看着我那站在三尺讲台上的老父亲，神采飞扬地讲着发黄的历史。把博士弟弟奋进也叫了回来，给他报了名，上《非诚勿扰》，我和老妈答应到现场当他的亲友团，下了军令状，无论如何，死也要牵手一姑娘。

强令大宝休假一周，夫妻双双去三亚。我带着大宝潜水。大宝怕得要命，唧唧哇哇。我一把把她推了下去。她潜得比谁都嗨。

但有天夜里，大宝把我吓了一大跳。她突然箍紧我的脖子，呼呼哗哗地胡言乱语，一听原来是在说梦话："什么都在涨，汽油、鸡蛋、猪肉、学费、地铁、利息……除了工资，全在涨，翻倍地涨。人的个头也涨了，衣服全穿不下了，一上街，服装涨了。"

我掰开她的手，对曰："好好睡吧，无论如何，我们还得顽强地活下去，因为墓地也涨了。"

大宝好像听懂了，翻了个身，老实了。

黑吉他

1

再见。

宝马调了个头冲上立交桥，速度不是很快。宝马车后面两个扁平椭圆形的尾灯，忽闪忽灭的，这让站在路边抽烟的狄安想起童年在外婆家的情景。夏天干旱的时候，在外婆家湘南小镇的夜晚里，总有很多统称"舅舅"的男人举着火把，走在无尽的田野里，走在无尽的黑夜里，疏通沟渠，一块田一块田地轮流地灌水。这个轮流灌水事儿，叫"放水"。一村男人轮流守夜，你家的田水满了，马上塞住入水口，然后扯开他家田的入水口，一直到天亮，全村人的田都灌溉了一遍。很多个夜晚，小狄安摸黑出门尿尿的时候，总会被远方的忽闪忽灭的火把吸引住，看得入迷，甚至忘了拉起小短裤。

狄安一屁股坐在路边的一个水泥墩上。街道上所有路灯已经熄灭，隔壁一家生意火爆的川菜馆也"哗哗"地拉上了卷闸门，十几个光着膀子的厨师，打着哈欠从一个小门里鱼贯而出。厨师们个个都在吸烟，烟头一闪一熄地映着他们苍白的脸和整个城市深夜两点的夜。居然有一个年轻的厨师认出了狄安："喂，歌星，还不回家啊。"狄安点了下头，在喉咙里"嗷"了一声，算是回应。年轻厨师则把烟头弹得远远，扯起嗓子喊了一把："就这么飘来飘去，就这么飘来飘去"，闹得其他厨师也呵呵地笑了起来。

狄安也笑了起来，对着自己的影子。刚刚回忆起的外婆家的火把和年轻厨师的一把嗓子都是令人快乐的事情。就在这个时候，手机"嘀"了一声，一条短信弹出来：你要出的专辑要多少钱。

发信人是那个有钱女人，张温馨。这名字真庸俗。狄安拇指按动手机键盘的"C"键，删除了。

狄安也不知道为什么要答应张温馨的宴请。蹭吃的格雷、罗兰，还有我几个同学吃得倒是开心，鱼翅汤喝了两碗，没有一个中国文字的洋酒灌了两瓶，真是糟蹋。拿这么多钱招待我们这帮"粗俗"的家伙，张温馨真不容易。

两人具体是什么时候搞上关系的，狄安已经记不清楚了。狄安只记得，张温馨把车停在"天堂"外等他的那个夜晚，应该属于2005年。春？夏？秋？冬？毫无印象。深圳这个城市和海南一样，哪有什么春夏秋冬，这个城市最著名的深南大道和滨海大道两边的绿化带上，天天都是红得诱人的美人蕉，还有大簇大簇的黄菊花，交相辉映，打得火热。那个夜晚，张温馨穿的也是大红的裙子，宛如一树香山红叶，静默的同时又十分招摇。

2005年的3月，用我的话说就是，狄安早已经是"天堂"酒吧的首席摇滚歌手。狄安和他的"飘"乐队被酒吧老板应许，每天晚上十一点到十二点的黄金时间驻场演出。

狄安为何能赢得酒吧老板和观众的青睐？你要去过"天堂"你就知道了。无论是广大摇滚乐爱好者，还是其他乐手或歌手，还是压根就不懂什么叫摇滚的泡吧者，只要看过狄安的现场演出，都会忍不住往舞台上扔去一句"牛×"，常来酒吧的则会在"牛×"后添加上"狄安"两字，搞得好像他和狄安很熟似的。

狄安的"牛×"主要表现在他唱歌时的百分百的投入上，那投入，确实没有几个人能比。表情的痛苦啊、愤怒啊，或者安静啊、忧伤啊，不是说装就可以装出来的。就是装，你能三百六十五天天天装吗，你能一装就是7年吗？

那个3月的晚上正是星期六。狄安记得特别清楚，因为他刚在电话里跟弟弟狄静大吵了一个小时。弟弟死命都要来深圳闯所谓的世界。狄安气得肺都要爆炸了，狠狠挂完电话，直奔酒吧。正好赶上点，狄安背上吉他就站在了舞台上。周六的"天堂"还是很热闹的，尽管这个城市有很多可以寻找"一夜情"的欢场，但总会有那么一些热爱摇滚的男人女人准时进入"天堂"，在高分贝的鼓点中找到他们心中的天堂。这一点总是让狄安感到欣慰，这个城市并非只有传说中的暴发户和包二奶，这个城市也有非常棒的摇滚爱好者。

那天晚上，狄安也玩得很尽兴，从崔健的《不是我不明白》到黑豹的《脸谱》到美国的EAGLES乐队的《 GET OVER IT 》，再到郑钧的《灰姑娘》。就在狄安跟身后的鼓手黑哥商量再来首猛烈的歌曲的时候，酒吧里的服务员递上来一张纸条。此时，黑哥的鼓槌已经下去了，狄安没有来得及看纸条内容就蹦了起来："人潮人海中，又看到你，一样迷人一样美丽。"

在唱歌的时候，下面的观众写上来的纸条无非是两种情况：点歌和评论。点歌最多，占百分之九十左右，评论的大部分是说"牛×"，少部分是说"假摇滚，下去吧"。不管是说"牛×"还是"假摇滚"，狄安是从来不在意的，因为他知道自己坚持的是什么。

唱完黑豹的《无地自容》后，狄安打开手里的纸条，借着打在话筒上的黄色灯光，看到一行字：

"你好，你很像我的弟弟，他也是摇滚歌手，也闯过深圳，可惜已经死了。张温馨"

狄安愣了很久。这是谁啊，说的都是这么不吉利的话，乌鸦嘴啊。狄安不是说，这张纸条是在诅咒他，而是因为他的弟弟狄静也要来深圳，而且也要玩摇滚，狄安觉得这张纸条在诅咒弟弟狄静。不听话的狄静啊，让人操心的弟弟啊。

想到弟弟，狄安就没什么心思唱下去了。狄安说完"再见"后，第二张纸条又上来了："如果可以，十二点半，我在酒吧外的车里等你。车牌号是588。张温馨"

狄安咬牙切齿地走到酒吧外，果然看到588就停在路边，而且还是宝马BMW。狄安最讨厌的就是开宝马的女人，因为BMW最早的时候就是"巴伐利亚发动机工厂"的缩写，格雷说得更绝，认为BMW是 BUSINESS、MONEY和WOMAN三单词的缩写，生意、钱、女人，俗到家了。

张温馨留给狄安的第一印象是红得如鲜血的裙子，鲜艳的红把她的整张脸都淹没了。车里的张温馨笑着同狄安打招呼："是我写的纸条，进来车里聊聊。"张温馨笑的时候，左边的脸会有酒窝，遗憾的是，酒窝里有个黑痣，像一只蚂蚁掉进了旋涡，一会浮出来，一会猫进去。

张温馨是个香港人，因为她的宝马车上有两块车牌，一块是香港那边的黄色塑料牌，一块是内地这边办的"粤Z"蓝色铁皮车牌。狄安一直以来对香港人就没有好印象，坐进张温馨的车里，一开始就板着一张脸说，怎么给我写这个纸条？

张温馨用了两分钟的时间就把她弟弟的故事讲完了：她弟弟是

香港朋克摇滚乐队"k－base"的主唱，曾在深圳几个大型酒吧表演过，但不幸卷入黑社会，被古惑仔乱刀砍死在旺角街头。

狄安听得心里七上八下的，没在车里待上十分钟就推开了车门。张温馨要了狄安的手机号码，并立即拨打过去说，这是我的手机，有事可以和我联系，我会经常来看你演出的。

这就是狄安和张温馨打的第一回交道。狄安看着手机里的未接来电，想了想，还是把号码给储存了起来。狄安做了个恶作剧，姓名写成"张黑痣"。

2

"你出专辑到底需要多少钱？给我一个大概的数字。"有钱女人再次发过来短信。狄安手机短信提示音，在黑夜里清脆地响起，狄安转转头发现自己已经坐在路边有一个小时了，喧嚣的城市也有安静的时候。整条街道没有行人，没有车辆，浓密的小叶榕在黄色的灯光里，投下斑驳细碎的黑影，像位打着盹的老头儿。

狄安不知道这位酒窝里转着黑痣的女人，到底用心何在。狄安不知道自己该不该给她回信息。狄安再次打开手机短信，看那几个刺眼的小字：专辑、钱、数字。

专辑。多美丽的词语。狄安抬起上嘴唇，轻声念着这两个字，感觉自己笑了起来。专辑，难道这就是自己的理想？难道理想就在那张轻轻薄薄的碟片上？难道这近十年的青春时光，最后浓缩的就是碟片里不超过一个小时和吟唱？

狄安想着想着忍不住把手里空空的"中南海"烟盒撕得粉碎，甩开膀子扔到马路对面。"中南海"可是陪伴狄安走过了近十年啊，如今身首各异，等待垃圾工人的收拾。

是的，1996年的时候，狄安就爱上了"中南海"。1996年，狄安的官方身份是北京某高校的大二学生、民间身份是"青苹果"校园乐队吉他手兼主唱和著名的"逃学威龙"。狄安自己都不知道自己是怎么拿到大学毕业证的，毕业那个夏夜，狄安战战兢兢从外语学院刘院长手里接过鲜红烫金的毕业证书的时候，老教授轻声说了一句话："听说你乐器弹得不错，走出社会参加工作，以后单位搞什么晚会，年轻人要大胆表演节目，给领导和同事留下个多才多艺的好印象。现在无论是机关还是企业，都很讲究企业文化的。"

狄安不仅在上学的时候辜负了老师的希望，连毕业后也辜负了老院长的希望。狄安望着夜空，想起老院长那张嘴角时刻保持微笑的脸，还有他头上梳理得一丝不苟的银发，再摸摸自己杂草般的长发，忍不住喷笑了一下。

迄今为止，狄安也不知道自己为什么如此讨厌自己的专业。狄安看到那些歪歪扭扭的英文字母就想睡觉，听到那些学习磁带里传出的朗朗会话声，就觉得不如跑到大街上听那轰隆隆的车流声，经过校园小树林的"英语角"里，看到扎堆的同学就想狂奔。狄安后来问弟弟狄静，你们建筑系有没有不学无术的？弟弟的回答令人失望：哥，实话说吧，绝大部分人都是不学无术。

至于当初为什么要考外语学院，在狄安看来，这完全是父母之命，当然也怪自己没有觉醒意识。狄安常发表这么一个观点：咱们生于20世纪70年代中期的人就是可怜，考大学选专业完全是"蒙查查"的，哪有什么我要读什么什么专业的想法和选择啊，那时候考大学还是千万人挤独木桥，学校也是拼命追求升学率，无论是老师、家长还是咱们本人心中只有一个想法，那就是考上大学就OK，管它什么专业不专业。好，终于考上大学，却发现自己其实对就读的专业根本没兴趣，怎么办，还能怎么办，硬着头皮读呗，总得毕业啊，毕业了才能有工作啊。到头来，干的工作也不是自己喜欢的。还有，你说咱们好不容易毕业了，却碰上了国家不包分配、自主择业这股改革东风和"人才高消费"的就业形势。个人在时代面前简直就是一只爬在热锅上的蚂蚁，由不得你有多余的选择，除非你不怕被烫死。

狄安毕业那年，其实同学们找的工作都还不错，唯一不足的就是留京的同学少了很多，自从国家推出自主择业的政策后，中央各大部委和政府机关基本上都不再招收国家公务员，留京指标更是削尖脑袋都难以搞到，习惯了毕业后分配到外交部、各国使领馆以及各个政府机关外事部门的同学们不得不分赴全国各地，谋求饭碗。大四整整一年，同学们见面的问候语就是"签了吗"，那感觉沧桑啊，个个都像没有了妈的孩子，又焦虑又楚楚可怜。

在这里，我想说下当初狄安是怎么把工作找在深圳的。当年，在狄安、格雷、罗兰几个闯深圳的同学里，我算是最早找到工作的，我现在卖命的这家广告公司当时到北京广播学院广告系招人，我正好在北广的同学宿舍里用一台486电脑打求职简历。拿着刚打完的简历，我买了根五毛钱的"大红果"冰棍边吃边打算坐车返校。广告公司的两工作人员正好摆出招牌等待下课的大四毕业生。说不上是猫碰上耗子，还是耗子碰上猫，我把我的第一份简历就投了过去。结果就这么成了。

狄安在大学里最好的哥们是我，因为我也是"青苹果"乐队的成员，手艺一般但资源稀缺的鼓手。狄安找工作属于高不成低不就，最后因为我到了深圳，也跟了过来。当时，我挺害怕，这哥们儿到了深圳，不工作，难道我还养他啊。其实后来狄安告诉我，当时他向一个亲戚打听了，深圳酒吧歌手很活跃，一个晚上的费用三百元，他便决定到深圳开始他的音乐生涯。

狄安在深圳的音乐生涯可以说是支离破碎。当然，狄安会说，每个从事艺术工作的人在深圳的经历，注定要支离破碎，无论你是搞雕塑的、画画的、舞蹈的、还是写作。深圳这个城市太年轻，艺术氛围可以说还没有养成，欣赏艺术的人群倒是大把，但是对不起，他们没有时间。你搞艺术可以，但你要有足够的坚持，足够的自恋，否则很难扛下去。当然，搞艺术的，在深圳，也很容易赚钱，这个城市对雕塑需求量最大，对油画的需求量也不小，楼盘、写字楼、公司前台、酒吧、酒店、学校，甚至连公共场所都需要一律欧化的石膏雕塑和色彩鲜艳的巨幅西洋油画。搞乐器、舞蹈的更没问题，哪个家庭的孩子不学钢琴不学跳舞的，教他们吧，无论白天黑夜，你的学生有多无少。写作的相对难点，就这么几份报纸，那些发自由投稿的版面少得可怜，何况掌管发稿权利的编辑，没几个是认真对待自由投稿的，天天见报的就那几个作者，谁知道里面有什么猫腻。

"我算好的了。"狄安谈起这些总会加这么一句。话没错，当年狄安借了我们几个同学几百块钱后，基本上就自力更生了。一路挣扎，一路坚持，冷冷暖暖，唯有自知。

如今，狄安要出专辑了。

专辑。多么美好的一个词语。狄安又轻声念了一下，脸型定格在一个微笑的姿势上。

3

几个月之后，狄安被有钱女人张温馨扒光衣裳，重重地压在大富豪私人俱乐部里造价五万八千元的性爱水床上的时候，忍不住问了一句："你最开始是怎么知道我在'天堂'唱歌的？你为什么要找我？"

如狼似虎的张温馨除掉自己最后的遮羞布，然后从床头扯出一张旧报纸说，我是看了这报纸才知道你的，没想到你的生活如此单纯，和我弟弟完全两个样。

那张报纸，对于狄安来说，太熟悉了，毕竟这是自己第一次上报纸，而且自己的最满意的形象也登在了上面。这份"周末版"的报纸，狄安一直收在床头下，疲倦的时候、绝望的时候、悲伤的时候，狄安会拿出来读一遍，不过十分钟的时间，所有的疲倦、绝望、悲伤成为过去，狄安会很快沉沉地睡着。第二天醒来，狄安的第一个动作就是拉开吉他包，抱出吉他，旋律即刻响起。

那张报纸刊登的是有关他的个人专访。2005年初的时候，一个年轻女记者突然在"天堂"里找到狄安说，本周末，我们要刊登一组有关深圳文艺青年的文章，我们想做一个你的个人专访。

狄安装模作样地说，还有哪些人啊。女记者说，我们这期做的都是20世纪70年代出生的、从事的又是小众艺术的年轻人。

狄安"哦哦"两声就同意了记者的采访。虽然，狄安很反感"文艺青年"和"小众艺术"这两个词语。文艺青年都是自我标榜出来的。小众艺术似乎一听就觉得是前卫另类专靠"概念"和"噱头"引起大众注意。管他，登了报再说。

女记者说，很想知道你们摇滚歌手一天下来的生活细节。

狄安是个很聪明的采访对象，知道记者问这问题的目的是什么，想得到哪些方面的信息。

于是，狄安说，很多人都会觉得我们是这个城市的灰色人群，因为他们看到我们的外形要么是长发，要么是光头，还有的男乐手戴着耳环、鼻环、唇环，穿的衣服也是吊儿郎当的，从来没有西装革履过，身上的铁链铁环都有两斤重，要是夜里走到街道上，很多人都会避让三分，觉得我们是不良公民。还有，我们电影看多了，似乎搞摇滚的个个都是吸毒、乱搞、说脏话、打架斗殴，永远是好不了的坏孩子。

狄安说，其实，这都是错误的认识，摇滚歌手穿着比较另类，并不代表他的生活混乱，或许他需要这种着装来说明自己的独立和不一样。这无可厚非，留个长发，没有违反法律法规，他们不用上班，自然也没有违反公司规定，都是他们的自由。至于人们认为吸毒、乱搞那些事情，完全是舆论和媒体的片面宣扬。外国的摇滚乐队，当然也包括中国一些乐队，确实存在性、毒品方面的问题，但那不代表整个圈子都是这样，不能看到一片树叶就说看到了整个森林。

报社女记者最后以《一个摇滚歌手的二十四小时》为题，图文并茂地报道了狄安从下午一点起床、吃饭、排练、演出、睡觉十分单调的生活全过程。女记者的文笔很美，最后写道："深夜两点，我们的城市已经睡着了。摇滚歌手狄安从'天堂'酒吧里走出来，走在回家的路上。夜色中，他的吉他上写有一句话：'一切因音乐开始，一切因音乐结束'。是的，这就是一个摇滚歌手的简单生活，一切都因对音乐的热爱。"

记者描写的生活确实是狄安的真实生活：简单而纯净。我和同班同学格雷对此是最有发言权的，每次去狄安的狗窝里，我们所看到的是一个单身的、对音乐无比热爱的艺术青年的生活。狄安的出租屋里摆满了各种外文CD、《我爱摇滚乐》一类的专业杂志，还有墙上钉着他随手记录下来的乐谱和歌词。音乐就是狄安的全部，就是他的生命。我有时忍不住说，你这鸟人，上辈子得罪谁了，让你爱上这挣不了钱、养不了家的破玩意儿，真是造孽啊。

狄安当然没想到，报纸出版的那天，张温馨刚刚料理完弟弟的后事，从香港过关入境到深圳就看到了这个图文报道。张温馨再次重复说，我有个弟弟，也是搞摇滚的，最后却因为吸毒暴死街头。

张温馨说，我出罗湖口岸后，到口岸酒店地下车库里取车，当时一个小男孩正在烈日下卖报，刚经历过亲人失去的痛苦，见不得别人凄惨的样子，就叫过来，买了一份报纸，结果就在封底看到有关你的报道，当时第一感觉是，照片中的你，真的很像我死去的弟弟，连背吉他的背影都像。于是，我就忍不住根据报道里的提示，到了"天堂"酒吧，去看你演出，然后忍不住给你纸条，约你出来。其实我很看不起搞摇滚的人，觉得很脏，包括我弟弟。但你不一样，有种说不出的感觉。当然，早之前我也给你讲过，我很寂寞，而你消瘦的脸型和身材一直是我梦想的男人。

张温馨所说的这些，狄安从来都是半信半疑。狄安从小就有仇富心理。狄安出生在城市里，父母都是文艺工作者，文工团的二胡伴奏。父母从一开始就反对狄安和弟弟狄静沾艺术的边，为什么，因为他们搞了一辈子艺术，没有富裕过一天，房子分不到，工资没多少，最后还被机构改革落个解聘下岗的下场。所以，父母死命要狄安上了外语学院，狄静学建筑专业，就是希望俩儿子毕业后能找个好工作。

父母穷怕了。狄安无数次目睹了下岗后的父母，因为他和弟弟上学的学费，长吁短叹。

狄安曾经发誓自己也要成为有钱人，可却无奈自己就是不喜欢英语，最后走上了摇滚的不归路，成为不折不扣的"穷摇"。狗屁，当初打听到的三百元一场的演出费都是假的。那是在夜总会里的价格，自己唱得了夜总会吗？现在的"天堂"酒吧给的报酬是最好的了，一百元一晚，一个月三千元，呵呵，在深圳这个消费天堂，还好，不至于饿死吧。

狄安的仇富心理由此而起。他总觉得有钱人没几个好人，他们永远瞧不起普通百姓，你也永远看不透他们心里在想什么。

所以，最开始的时候，每次张温馨坐在酒吧里那个靠墙的吧台上的时候，狄安总是莫名地激动，一首首歌被他唱得锋利尖锐，激情无比，像一把闪亮的刀子。狄安知道有个穿着猩红色裙子的女人在角落里看他表演，然后想约他出去，吃饭或者兜风。她的宝马就在门口。越是这样，狄安越是想搞搞恶作剧，一方面尽自己所能，卖弄音乐才华，一方面从来不接受张温馨的单独邀请。

4

狄安和有钱女人张温馨的战争，其实也是狄安和自己的战争。

其实，张温馨这种女人，狄安看多了。在深圳这个光怪陆离的都市里，在这个号称中国夜生活最丰富的经济特区里，在这个人们动不动就说"才十一点呢，夜生活刚刚开始"的城市里，狄安好歹也是夜生活的第一线人员，夜晚到了，大脑就苏醒了，精神就来了，终于成了正常人。

在"天堂"酒吧驻唱这么多年，虽然说，"天堂"酒吧是很单一的纯粹以摇滚乐为主题的酒吧，唱歌的和听歌的，百分之八十都是热爱或者至少有所知晓摇滚的人，而且熟客居多。不喜欢摇滚的人是受不了这里音乐的吵闹的。别看酒吧里会经常坐着很多装扮超级酷炫和前卫的男人女人，但那都是膜拜摇滚的新一代文艺青年，而文艺青年无论是闷骚型的70年代，还是张扬型的80年代，他们终归是安分的，再乱也乱不了哪儿去，不像人们想象中的那么乱。

话虽这么说，但酒吧毕竟是夜生活场所，林子大了什么鸟都有，所以狄安也是碰到了不少形形色色的"鸟"，不少鸟还真不好惹。

那是2000年的时候吧，狄安刚到"天堂"唱歌没多久的一个晚上，那个时候，狄安基本上还是为了站住脚跟谋取一天三顿饭钱的起步阶段。

这里还要插一段"天堂"酒吧老板的故事。"天堂"酒吧的老板本身也是搞摇滚乐队的，只不过后来支撑不下去了，才做起了批发钢琴的生意。一台万把元的"珠江"一卖就是三四万，那时候深圳最多暴发户，他们哪里懂什么钢琴，反正买了一架摆在家里，那就是品位。钢琴生意一下子发了，这位中国最早一代的摇滚迷不忘自己的理想，在中国南方开了第一家以摇滚为主题的酒吧，取名"天堂"，希望每一个热爱摇滚的人都能找到心中的天堂。

酒吧老板告诉狄安，你要得到观众的认可，先不要着急唱你自己的原创作品，先玩吧，唱一些崔健、何勇、张楚、窦唯的成名曲，你英文好，也可以唱唱"滚石"、"披头士"、"鲍勃·迪伦"的英文歌，让大家有一个认识和接受你的过程。

初出茅庐的狄安没有听进去酒吧老板的话，唱到第二首就开始一直唱一直唱我和他在大学里"青苹果"乐队创作的歌曲，比如《太阳都晒屁股了，爱情怎么还没有出现》《飘来飘去》《逃出金字塔》，这都是青春时代一些风花雪月、独上高楼强说愁的东西，只不过我们给它编配上了来势汹汹的摇滚曲风而已。这些炫耀才气和乐器操作技巧的曲风，在大学里放倒了不少青春女生，可到了社会上，不行了。当晚，就有人对着正在唱《飘来飘去》的狄安砸去了空烟盒："什么玩意儿，下去吧"。烟盒正砸在狄安吉他的琴弦上。

这是狄安第一次遭遇"倒戈"。年轻好胜的他很快被激怒了，捡起烟盒扔了回去，不偏不倚正好落在骂人那桌人的酒杯里。那桌人明显喝酒喝多了，冲突由此而起。扭打不过进行了5分钟就被保安分开，不过狄安左脸挨了一拳，火辣辣地疼。警察很快带走狄安和已经喝得差不多了的酒客，做了简单笔录，并认定责任不在狄安方算了事。酒吧老板守在派出所门口，拍了拍捂着脸的狄安，很有哲理地说："兄弟，现实的生活就是这样的，它天生跟理想作对，让你难受，让你不舒服，慢慢习惯就好了。"

酒吧老板的话让狄安醍醐灌顶。第二天晚上，狄安老老实实唱起了《一无所有》《无地自容》等老歌，狄安华丽的吉他技艺和收放自如的嗓音获得满堂喝彩。有一个人，送上一张纸条来说，今天是她的生日，想点一首《生日快乐》。狄安于是屁颠屁颠地唱了起来：祝你生日快乐，祝你生日快乐。

酒吧老板说，为什么最后把狄安留下来当驻唱歌手，就是看到了狄安超强的领悟能力，现实就是这样，你要一根筋，那就等死吧。

狄安也常感慨地说，唱别人的歌，肯定不如唱自己的歌那么爽，但有什么办法呢，你没有崔健牛×，你就得唱他的歌。你的歌？你只能自己回家慢慢唱，慢慢琢磨，直到有一天你出专辑了，被认可了。这就是生活，硬邦邦的生活。

因为唱歌而发生的冲突还不算什么，狄安最烦的是被骚扰。印象最深的一次是在2002年夏天，那天晚上是周末，不知咋的，那晚酒吧爆满，已经唱得有点名气了的狄安，一上台就被掌声和口哨声淹没了，搞得狄安也来了情绪，拇指和食指捏着的拨片把吉他六条琴弦刮得"哗哗"响，两首歌下来，狄安就满头大汗、汗湿衣衫了。

夏天的时候，狄安的打扮一般都是上身白色背心、下身半长短裤、脚穿高帮登山鞋，然后散发披头。两首歌之后，就有人端着啤酒上来了，要跟狄安喝酒，狄安都会礼节性地喝两口，有时候还真担心哪个不怀好意的人在酒里放了迷魂药。当然，和狄安在舞台上喝酒的还有不少漂亮性感的女人。

不知道是谁喊了一声："都湿透了，脱吧。"这句暧昧的话引来很多附和者，瞬间，大家都对着狄安喊："脱、脱。"狄安玩得高兴，还真脱了下来，当然只是上身的背心。

狄安长得很像国内某个著名音乐人，脸型和身材都消瘦的那种。狄安这么一脱，气氛更是点燃了，只是这一脱也给狄安带来了很多麻烦。

一个同性恋朋友看上了狄安的脸蛋和身材。这位同性恋朋友还没等狄安下台，就迫不及待地冲上去了，一手端酒，一手亲密地拍着还没来得及穿上背心的狄安的腰。

狄安一看这长得五大三粗、却戴着耳环的哥们儿就不对劲，赶紧喝了一口酒就直奔洗手间。没想到，同性恋朋友立马跟了进去，一把从身后把狄安抱住，脸贴在狄安全是汗的背脊上，兴奋地气喘吁吁，双手则在狄安胸前直捣黄龙。从未见过如此架势的狄安吓坏了，"啊"的一声挣脱跑了。

同性恋朋友又跟了出来，不过已经温柔了很多，含情脉脉地看着狄安，要了杯酒给狄安："对不起，我真的喜欢你那消瘦的脸型和身材，我们交个朋友吧。"

狄安拒绝了。这时候，酒吧老板也过来解围了。酒吧老板在同性恋朋友耳边耳语了一句："他有女人，你搞错对象了，兄弟。"此事算是就此结束。

所以当狄安看到有钱女人张温馨，总是在晚上11点钟，准时出现在酒吧靠近吧台一个角落里看他的时候，每当两人目光交叉的时候，狄安就觉得暗暗好笑：想跟我玩持久战？不可能上你的当。这里漂亮性感女人看我的多了，连同性恋我都经历过了，哼哼。

狄安这么想，是因为自己还没料到要自费出专辑的事情。到最后，狄安之所以没有打赢和有钱女人张温馨的持久战，是因为狄安被自己击败了，被硬邦邦的生活击败了。

5

理想是什么？

狄安常常问自己。从1998年毕业来到深圳，一转眼七八年，这么多年来，狄安就这么无休止地跳啊唱啊，从来不知道明天是星期几，从来不关心天气冷暖、菜价涨跌。狄安回到小小出租屋的时候，洗洗澡、看看杂志，不一会儿天就大亮了。狄安甚至听到隔壁那对开小店的夫妻起床、出门、关门的声音，他们活着多不容易，每天起早贪黑，经营一个小小的早点店。楼上的老人似乎也在乒乒乓乓忙乎起来了，要给小孙子做早餐，小孩吃了拖着沉重的书包上那没完没了的学。老人也不容易，儿子离婚了，为了生存去了广州做生意，丢下一老一小。

多少个东方发白的清晨，狄安就这样就着隔壁夫妻的关门声、楼上老人洗锅刷碗声，迷迷糊糊入睡。一想想他们都挺不容易时，狄安入睡后的表情是微笑的、自我满足的。

这种微笑着入睡的状态截止到2005年。2005年开始，狄安觉得自己应该开始新的一个计划，那就是推出自己的专辑。在"天堂"里唱了这么多年，走出校园这么多年，无论是技术还是生活阅历，都已经成熟了，该发出自己的声音了。

早在2004年开始，狄安就已经成为"天堂"酒吧知名歌手了，一些外地的摇滚乐队来了深圳后，总会来"天堂"看看狄安唱歌。一些民间乐评人在专业摇滚杂志上介绍深圳摇滚的时候，少不了要描述下狄安和他的"飘"乐队。狄安在唱崔健的老歌的同时，也唱自己创作的歌曲了。

狄安是在有钱女人张温馨请我们几个同学到"王子厨房"吃饭的那天晚上，说他要出专辑这个事的。我们听了都为他感到高兴。这点我最清楚，专辑顺利推出，无论以后他是否一直走摇滚这条路，都是人生的一件大事，有利无害的大事。

狄安开始寻找专辑出版的渠道。一天，狄安在一个名为"摇滚公园"的网络论坛里看到一则帖子："石头"另类音乐机构，全力发掘散落在民间的摇滚音乐。帖子里有北京010的咨询电话、一些他们出版发行过的地下摇滚乐队的专辑封面、专辑制作流程、录音和后期人员与机构，等等，看上去十分完备和规范。

虽然说唱了很多年，但对于音像制品出版来说，狄安绝对是个新手。狄安在一个下午，试着给这个音乐机构打去了电话。电话通了，是一个说话很嗲的女人接的："喂，你好，找哪位？"

"你好，我是深圳一个摇滚乐队的主唱，在网上论坛里看到你们的帖子，想问问你们出专辑的事情。"

"哦。你在哪里？"

"深圳。广东这边。"

"深圳啊，我去过，那里很富有啊，海鲜天天吃。深圳还有摇滚乐吗？"

"是的。这里的摇滚力量还不小。"

"是吗？你把你们录的小样寄过来看看再说。"

狄安感觉自己被羞辱了一番，但还是一字一句地记下了那个长长的北京地址。

狄安还是觉得先做好歌曲再找出版机构，要不光嘴上谈谈，见不到东西，没用。

放下电话，狄安就拿出笔刷刷写下自己潜心准备好的十首歌的名单：

1. 《我不要天堂》
2. 《飞翔》
3. 《上帝》
4. 《逃出金字塔》
5. 《飘来飘去》
6. 《我不指望你理解》
7. 《资讯时代》
8. 《我唱我歌——这八年的摇滚生活》
9. 《别跟我谈理想》
10. 《粉碎》

狄安继续写道：

这十首歌中，《逃出金字塔》《飘来飘去》是我在北京读大学时写的歌，那时候，我们的乐队叫"青苹果"。那时候，我们总想逃出校园，不知天高地厚地喊着"拥抱明天"，作品虽然幼稚但十分真诚朴素，我愿意收录它们，一如珍藏我们每个人最珍贵的青春岁月和年少轻狂。

《我不指望你理解》《资讯时代》《我唱我歌——这八年的摇滚生活》《别跟我谈理想》，叙事的成分很多，也许你光看我的歌词就能明白我要说什么。是的，我不需要你们的理解，我有我的理想，这一路上，我冷暖自知。感谢给予我生命的父母，儿子这一路走得很孤独，让你们担心了。

《飞翔》《上帝》，是我目前的状态。我觉得自己的状态很好，对音乐仍然保持着原始的冲动和无比的敬畏。我会继续飞翔。我会把摇滚敬重为我心中的上帝。

《我不要天堂》《粉碎》是我在深圳的好朋友钟二毛，给我写的两首歌。钟二毛有一个晚上对我说，在追求理想的路途中，他发现有时候"天堂"这两个字很虚无，而且往往当你到达天堂后，你才发现天堂不过如此，而且新的不快乐一定会准时跟随而来，所以说天堂并不快乐。这就是《我不要天堂》的写作背景。至于《粉碎》，钟二毛说，我们70年代出生的人，骨子里其实很传统，可现实中却又无时无刻不在经受着开放观念的冲击，多年以来，理想不断地建立，却又不断地被粉碎。

狄安扔下笔，望着白纸上的一行行黑色小字，满足地微笑着。它们一个个都仿佛充满着生命的机能，不一会儿就活蹦乱跳起来，跳在狄安的睫毛上、嘴唇上、鼻尖上、发梢上，做各种柔软的舞蹈动作。狄安伸出手在自己的眼前抓了抓，什么也没有，可是自己的手一离开，瞳孔里又出现了这些可爱的文字天使，它们正在尽情地舞蹈着。

狄安享受地闭上眼，美美地享受着这种瞬间的幻觉，真的就像童话一样。多年的摇滚生涯，之所以没有白天黑夜的排练，多少个绝望的夜晚，就这么被一个瞬间的幻觉代替了。狄安真的就在童话里睡着了，糖果娃娃出来了、水晶姑娘出来了……如果不用醒来该多好啊。

6

狄安的弟弟狄静偷偷地跑来了深圳,奔着做一名摇滚歌手的理想。

是父亲告诉狄安这个消息的。六十岁的父亲在电话里嘶哑着嗓子说:"你们这两兄弟怎么就如此相似呢,你这个当哥哥的,本来是学外语的,同学都到了大使馆,最差的也去了外资公司,偏偏你搞起了摇滚,混得人不人鬼不鬼的,这也罢了。现在呢,你弟弟又要学你这个榜样了,建筑系的高才生毕业分到设计院,那么好的工作做了不到一年,也要辞职了,跑到深圳,又要搞摇滚。当年真不该冒这开除的危险超生了你弟弟。唉,你们两兄弟真是要气死我们啊。我拉了一辈子的二胡,在文工团里,可如今有什么用呢,下岗啦,没人管啦。这个年代根本就不是搞艺术的年代。你步了我的后尘,你弟弟又步了你的后尘。你说我们狄家是怎么回事啊,就这么跟艺术有缘吗?我明天给国家文化部写个申请,让他们给咱们家封个'艺术之家'的光荣称号吧,唉。"

狄安不知道该对又是生气又是自嘲的老父亲说什么。时代真的变化大啊。记得小时候,80年代的时候,文工团也是国家单位啊,大院里住的邻居都是文艺家。各种传统乐器演奏、各地传统戏曲名段、传统杂技和魔术表演,随时可以听见、看到。一帮视艺术为生命的老艺术家就在身边。上学的时候可以看到第一排平房的李叔叔在摇头晃脑地"啊呀呀呀"地吊嗓子,他是文工团里演花脸的头号人物。放学的时候,比自己大不了几岁的几个哥哥,在院子里练习顶碗杂技,那一个个塑料做的练功碗常一会"当"的一声掉下来,滚得好远,师傅见了忍不住又是一阵臭骂。

那个时候,进出文工团大院的孩子的优越感,并不比进出县政府大院的格雷差多少。人人都会觉得文工团里的孩子，和他们的父母一样，有文化有修养，而且多才多艺。不过那会儿还真是的，文工团的孩子的穿着是最干净最好看的，尤其是女孩子，那额头上的刘海被家长梳得一丝不苟。几乎每个班的班花都是从文工团大院走出的姑娘。

那个时候，狄安多神气啊，几乎没怎么学，就每天这么看着父母拉二胡，自己就学会了。每到六一儿童节，准有狄安"二泉映月"的压轴表演。后来到了中学也是，初三的时候，狄安就跟隔壁齐哥哥学会了六根弦的木吉他。80年代末的时候，港台流行文化已经吹到内地，长得像外国人的费翔的《冬天里的一把火》把每个人都烧得一愣一愣的：还有这种听了就想蹦蹦跳跳的歌啊，还有这种在舞台上可以搔首弄姿的动作啊，一个男演员的演出服装还可以如此鲜艳啊，还有那发型怎么还可以做成波浪的造型呢。那个时候，每个年轻人都着急赶时髦，狄安就用一把吉他把赶时髦的人比下去了。狄安成了更时髦的人。

当时，狄安父母还挺高兴的，觉得儿子学新东西学得快，哪里想到他会因为弹吉他迷恋上了国外的乐队，然后认识并更迷恋摇滚乐，到了大学还亲自组建自己的乐队，要将摇滚进行到底了。狄安大二回家过年的时候，父母就被大儿子的一头长发搞发火了。

当时，父母已经不断听到"市场经济"和"下岗"两个词，已经明白搞艺术不吃香了。所以，看到狄安那文艺青年的样，怒火腾地起来了，硬是逼着狄安在大年三十晚上把长发剪了。

这就是狄安自己经历过的变化。如今文工团已经萧条不成样子了，再也看不到那些吊嗓子、练顶碗的叔叔、哥哥们了。这就是时代的变化，实实在在，历历在目。

对于弟弟偷偷跑来深圳的事情，狄安总觉得自己有责任。弟弟出生于80年代，他懂事后，中国正在发生翻天覆地的变化，无论是人的观念还是社会的面貌，都是在不断地变化中，那个时候"市场""下海""出国"等词汇已经泛滥成灾。弟弟本来是对艺术没有一点兴趣的，他书包里装得最多的是科幻小说和漫画杂志。是狄安要求弟弟学吉他的。狄安为什么要弟弟跟他学习吉他？原因有点自私：狄安想找个人陪练，练那变化多样的和弦和指法。

狄静就是在被动学习中对吉他逐渐产生兴趣的。慢慢地，狄安发现弟弟的指法熟练程度竟然超过了自己，一首《月亮代表我的心》，弟弟练习三遍后，就不用看谱了，和弦与和弦之间的连接基本不会断开。

弟弟取得如此长进时，狄安顺利考上了大学，两兄弟聚集在一个小房间里的吉他学习由此中断。没想到的是，弟弟和他一样到了大学后，也疯狂地热爱上了摇滚乐。

当然，如果狄安参加工作后也和其他同学一样，朝九晚五地上班工作，也许弟弟狄静也不会走上摇滚的道路。狄安觉得自己间接地引导了弟弟的人生之路。

弟弟上了大学后，吉他在他手里也就是一个兴趣爱好，顶多在学校里搞晚会的时候弹唱一曲《同桌的你》，或者作为同学生日聚会上一个向漂亮女生炫耀的机会，仅此而已。

事情发生转折是在2003年的暑假。马上进入大四了的狄静从武汉来到深圳，在一家地产公司实习。白天弟弟要实习，狄安就在晚上带弟弟看看夜景，吃吃海鲜，这一圈活动下来之后，正好是晚上10点多，狄安也可以到"天堂"唱歌了。

一天，弟弟邀请另外两个一起来深圳实习的同学，去"天堂"看狄安演出。狄安考虑到第二天是周末，答应了。

那天晚上，对于狄安来说，很平常，但却给弟弟带来了无比的震撼。那天晚上，狄静看到的是各种各样的男女，舞台上尽情释放的哥哥、一阵比一阵猛烈的喝彩声，一个比一个漂亮、性感的女人端酒上台慰劳哥哥。

狄静觉得整个晚上的感觉棒极了。绚丽、迷人、陶醉、繁华……

两个月的实习结束后，弟弟回到学校后，给狄安写了封电子邮件：

> 我给爸爸妈妈打电话了，说你在深圳的生活很好，叫他们不用担心。另外，我现在仍在努力地学习吉他，我想有一天我也要做一名出色的摇滚歌手。

读完这封邮件，狄安心急火燎地给弟弟的宿舍打电话：我跟你说，学建筑是最好的，我不希望你搞摇滚。

弟弟一手握电话，一手仍在轻轻拨弄着吉他的琴弦，问："为什么？"

狄安想不出什么话："不为什么，你听我一句话，毕业后好好工作，不要搞摇滚。当爱好可以，但绝对不能成为你的工作。"

弟弟没有听进去劝告。两年之后，他来了，奔着做一名摇滚歌手的理想，来了。

7

那个一直在打狄安主意的有钱女人——张温馨，又寂寞地坐落在"天堂"酒吧靠近吧台位置的一个角落里了。她总是端着一杯红酒，摇晃着高高的杯子，然后仰头三十度角，一干而尽。

　　狄安也习惯地每天晚上向那个角落里望望，一旦发现了张温馨，狄安的歌就会唱得起劲，似乎有点故意挑衅对方的味道。有钱女人也会写纸条给狄安，邀请过来喝酒，或者开车出去兜风。狄安最讨厌有钱人了，偏不吃这一套，气得有钱女人没辙。或者，狄安就把我们几个同学一起叫来，要请就多请几个，去吃鱼翅、燕窝、鲍鱼，拿钱当纸烧。

　　这些伎俩，对于张温馨来说，毫无作用，因为张温馨有的就是钱，而且还沉得住气。张温馨心里似乎在说，哼，老娘总有一天要收了你这个孙猴子。张温馨最后胜利了，直接把狄安压在了价值5.8万元的性爱床上。

　　狄安又在挑衅张温馨了。

　　狄安一上来就蹦了起来："第一首歌，《姑娘漂亮》。"

　　　　姑娘姑娘，你漂亮漂亮。
　　　　警察警察，你拿着手枪。
　　　　你说你要汽车，你说你要洋房。
　　　　我不能偷也不能抢，我只有一张吱吱嘎嘎的床。

唱歌的时候，狄安加了很多道白：

　　　　我的名字叫狄安，来到这个城市快八年了。我的理想就是认认真真地摇滚，好好表达我内心要说的话。

　　　　这个城市很脏，这个城市到处都是包二奶，到处都是天亮之后说分手。这个城市很乱，到处都是工地，到处都是拖欠工资。

　　　　我很贫穷，但我热爱我的贫穷，因为我热爱我的理想。

我向在座所有热爱理想的人致敬。热爱理想的人才是最牛
×。

狄安做了一个敬礼的动作，像大学军训那样，铿锵有力。下面
的人起哄了，"牛×"、"牛×"地喊着。狄安左边看到张温馨半
明半暗的脸，还有那杯盛有红酒的玻璃杯。同时，狄安右边看到一
直站着鼓掌的琪琪，琪琪手里拿着一杯快见底的矿泉水。

琪琪就是狄安心中的漂亮姑娘。但狄安不愿意对她说出"爱"
字，因为自己一无所有。琪琪也不想触痛狄安的自尊，既心照不
宣，又保持距离。

琪琪那天穿着纯白色的小T恤，直筒蓝色牛仔裤，匡威白色帆
布球鞋，简单得不能再简单了。可这在狄安心里就是天使的打扮，
如果再给琪琪再装上一对白色羽毛翅膀，天使就真的要飞起来了。

狄安除了用"天使"来形容琪琪，真的再也不知道该用其他
的什么词语。在一个城市里飘荡了这么多年，狄安突然觉得心里特
别踏实起来，原因就是自己心里爱上了这个打扮简单的小女孩。是
的，就是小女孩，80年代出生的小女孩。

狄安接着又唱了："第二首歌，许巍的《礼物》，我也把这首
歌当作礼物，送给我的最好最好的朋友琪琪，她在那儿。谢谢你，
琪琪。"

狄安说完"她在那儿"后，还伸手指了一下。酒吧里所有的男
女都往琪琪这里看，调音台的小伙子也迅即把一束暖色灯光，追在
琪琪的脸上，让包括有钱女人张温馨在内的所有观众看了个一清二
楚。琪琪倒镇静，歪着头笑了笑，向舞台上的狄安挥舞了下手里的
杯子。

狄安接着说："我的新专辑即将出版发行，琪琪天籁般的声

音，将出现在这张专辑里的两首歌里。"

台下的男女再次将头扭向琪琪这边。调音台的小伙子再次把一束暖色灯光追在琪琪的脸上。那天晚上的焦点哪里是舞台上的狄安呐，分明是琪琪嘛。琪琪感觉自己长这么大了，这是第一次体会到什么叫明星的滋味。

当然，琪琪当晚已经做好了所有准备。因为，狄安跟她说了，晚上过来的任务就是排练下他写的《飞翔》，在歌的前奏加入琪琪的和声。

轮到琪琪了。狄安向琪琪挥挥手，琪琪就蹿上台去了。狄安给琪琪搬来一个支架，把麦克风安上去，然后旋松一个螺丝，把话筒的高度降下来："琪琪，来，看看高度是否合适。"琪琪站过去，正好，嘴唇一出声，麦克风就响了。狄安歪着头冲琪琪眨了下眼睛，笑笑："那就开始了。"

当晚，琪琪很幸福，那么多人给自己鼓掌；狄安很骄傲，这个自己内心深深喜欢的女孩的表现实在是太棒了。

另外一个女人呢？有钱女人张温馨表情平静得像一面湖水，一个人摇晃着杯里的红酒。狄安路过吧台上洗手间的时候，张温馨对狄安淡淡地说："要出专辑了，但愿你顺利。"

8

"垃圾！歌是垃圾！人也是垃圾！"

狄安喝醉了，躺在马路上大声地喊："垃圾！歌是垃圾！人也是垃圾！"

晚上十点的深圳，车正多。汽车尾灯一闪一灭的，街道上的霓虹灯也是一闪一灭的，狄安躺在冰凉的马路上，感觉自己似乎又回到外婆家，看到了一望无际的田野，和人们举着火把灌溉稻田的情景。狄安觉得舒服极了，美妙极了。狄安闭上了眼睛，任路上的汽车喇叭按得此起彼伏。

"去你妈的城市，去你妈的理想。"

狄安这么往路上一躺，自然导致路面交通大堵塞。开着人货车的广东佬正在大声放着《老鼠爱大米》，要加速冲过红灯，突然一个急刹车，吓出一身冷汗：地上躺着一个大活人啊，幸好开了大灯，要不这车一压过去，那人可就是身首各异了。广东佬连忙下来踢狄安，发现对方一动不动。

广东佬嘴里一边骂着"丢你老母"，一边报警。后面的车辆不知道前面是怎么回事，不耐烦地猛按喇叭。广东佬伸出头去喊："按个鸟啊，都要死人了。"

开着摩托车的交警同志带走了人事不省的狄安。去的地方不是警察局，而是急救中心。交警找到狄安的手机，一按拨号键，正是琪琪的号码。

交警说："你是这个号码使用者的朋友吗？"

加完班刚走出公司大楼的琪琪说："我是，我是他……女朋友。怎么了？你是谁？"

交警说："我是警察，你朋友出事了，现在在人民医院急救中心09病房，你快过来。"

琪琪又问："是深圳的人民医院吗？"

交警有点不耐烦了："不是深圳，难道还是北京啊？"

琪琪很纳闷。因为狄安刚去北京跟音乐机构谈专辑出版的事情，按理应该没那么快就回到了深圳。他怎么就回到深圳了呢，而且回来了也没跟我联系。

琪琪来不及多想，十分钟后赶到了急救中心看到了已经苏醒了的狄安。交警看到有人过来，戴好手套就走了，不一会儿，交警又转身过来了，问琪琪："你这朋友精神没问题吧，喝醉了嘴里还直说'垃圾'、'垃圾'。"

看着狄安一脸灰尘的样子，琪琪趴在床沿上就哭了起来。狄安一脸漠然的表情说："北京的人说我的东西是垃圾。他妈的，他们才是垃圾。"

琪琪终于弄懂了狄安醉酒的原因。

狄安拿着在"天堂"酒吧录好的四首歌曲小样去了北京，找到在网站上看到的"石头"另类音乐机构，商量专辑出版的事情。四首歌曲分别是有琪琪"呜呜"声音的《飞翔》《逃出金字塔》《我不去天堂》和《粉碎》。

毕业七年了，这是狄安第一次回北京。火车上，一路风景往后倒退，大片大片的村庄、麦田、平原出现，又消失，北京越来越近。狄安真后悔没有把吉他带上，要不他真想即兴地弹唱一下，抒发出内心激动的心情。自己热爱摇滚的光阴近十年，什么也不想，什么也不顾，一头扎进摇滚的胸怀就是近十年，如今就要实现理想了，怎不叫人激动？！

出了北京西火车站，狄安直奔"石头"音乐机构。"石头"在海淀区的一栋旧楼房里。

狄安进入旧楼房，通过一条黑乎乎、脏兮兮的过道，看到了一扇写着"石头"的大铁门。铁门上确实贴着很多地下摇滚乐队的专辑封面，上面有两支乐队狄安还很熟悉，他们来深圳演出的时候是狄安给他们找的住处。

这个音乐机构的办公室也就两房一厅那么大。接待狄安的是个小姑娘，说话很嗲："哟，你从深圳来的啊？你这样，你先把小样留下，我们总监要先试听，然后你明天再过来吧。"

狄安说："可以啊。能不能跟你们总监聊聊，关于我这个专辑，我自己有些想法。"

"那不行，我们总监正在里面听东西。对了，你明天来之前，先来个电话。"

狄安想想也是，就走出了这栋旧楼。然后就在附近找了个招待所住下了。狄安计划把专辑的事情定下来了，再找北京的老同学好好玩几天。

第二天一早，狄安就醒来了，赶紧用冷水洗了把脸，然后就给音乐机构打电话了。电话没人接，狄安这才意识到是自己太着急了，还不到上班时间呢。

时间终于过了九点，狄安再次打电话过去。那个说话很嗲的女孩说："我们总监还没听到你的小样，你明天再打电话来吧。"

对方"啪"的挂断了电话，显得十分不耐烦。狄安觉得不对劲："什么意思吗？又要推后一天。"

就这样，狄安又耐着性子等了一天。到了上午十点，狄安说："怎么样了，我可以过来谈谈了吧。"

没想到，说话很嗲的女孩又说："我们总监说，还没听你的小样。"

狄安一听就火了，撂下电话直接进了音乐机构。这个时候，一个年纪跟狄安差不多的光头青年，正在和说话很嗲的女孩在谈笑，两人不知道说到什么事了，笑得女的花枝招展、颠三倒四的，时不时还伸出粉拳一边打那光头，一边说"你好坏"。

说话很嗲的女孩看到是狄安冲了进来，立即把笑和粉拳收了起来，并对狄安说："没叫你来啊，你怎么来了。你……你跟我们总监说吧。"

那个光头青年就是总监。总监半个屁股坐在电脑桌上。总监说："你的小样，听了一半，就听不下去了。太垃圾了。"

狄安气得直哆嗦："刚刚不是说，你还没听吗？"

"我说听了就听了。"总监说完，从一个纸盒里找了半天才找到狄安的小样光盘，推进了电脑里，"看好了，我再听一次。"

小样里的第一首歌是《飞翔》，第一个f和弦起来了，接着琪琪天籁般"呜呜"的声音也出来了，狄安第一句歌词"我常常在梦里梦见我自由地飞翔"也出来了。这时候，总监停止了播放，说："你这些东西，大街上到处都有，所以我说是垃圾。现在是商品时代，你这东西做不成商品，懂吗？"

狄安还以为总监会发表几句看法。狄安耐着性子说："你说什么不是垃圾？"

"没时间跟你探讨这些。别以为你头发长就是摇滚。我以前的头发比你更长。"总监说。

"那我问你，你凭什么说我的东西是垃圾？"

"不凭什么。我一听就觉得是垃圾。我这里每天都有很多垃圾送过来。垃圾不垃圾我还不知道？走，走，走，拿回去你的东西。"

"既然每天收到这么多垃圾，你干吗还开这个公司？"

"从垃圾中选出一点稍微不是垃圾的东西，赚钱啊。"

狄安火了："王八蛋。"

光头不甘示弱，推了狄安一把："我操，你骂谁？滚，歌是垃圾，你也是垃圾。"

"呸！"狄安就这么穿过黑乎乎的过道，离开了音乐机构，离开了北京，没有见任何同学，没有逛任何地方。

回到深圳，狄安特别想大醉一场，于是就一个人在楼下点了一盘羊肉饺子和一瓶"二锅头"，吃完喝好后走上夜幕降临的街头，结果没走两步，就醉倒在了马路上了。

马路，冰凉。

9

狄安从急救中心出来一周后，琪琪把狄安在北京谈专辑被捉弄的遭遇跟我说了。琪琪说，她想帮狄安实现他出专辑的理想。

我问，怎么帮？

琪琪说开了："我这一周，偷偷地拿着狄安的小样光盘，寄特快专递给了几家唱片公司，有北京的、有广州的，也有一些小型音乐机构，这两天我打电话过去，获得的反馈信息确实不尽如人意。我还特意坐车到广州一家唱片公司，和他们老总见了面，把狄安热爱摇滚近十年的感人事情说给人家听了，那个老总最后跟我说了实话，大概意思就是现在的音像市场确实很艰难，没有几家公司会花大力气包装一个不出名的新人的，更何况还是摇滚乐，所以说狄安在北京的遭遇也是正常的，不过那个音乐机构的狗屁总监说话确实是太伤人了点。

"当然，也并非是说，狄安的专辑就没一点戏了。北京一家公司的人说，如果狄安实在想出专辑的话，也可以通过合作的方式出版。怎么合作呢，就是自费出版。北京派专业的录音师、设备，以及负责最后的封面设计、制作等。可这费用贵啊，发行一万张CD的话，每张七元八角，也就是说，整个下来的费用大概是八万。然后，我们自己负责这一万张CD的发行，也就是说这一万张最后能卖到多少钱，都归我们自己了。"

我说："一张碟可以卖个十五元吧，那一万张就可以卖到十五万，这样说来，除去八万成本，不还有赚吗？"

"哥哥，你太天真了。关键是摇滚乐这东西能卖得动吗？实话说，狄安也就是在深圳才有人知道他的名字。这一万张碟三年之内能卖个两千张，就算不错了。"琪琪说。

我看着琪琪，眼睛瞪得大大的。这个80后不能小看啊，懂的东西不少啊，"那你的意思？"

琪琪说："我想说服狄安，不要出一万张，五千张就可以了。这样的话，费用也就四五万元钱，我就可以支持他一万元。"

我说："我也支持一万元。"

琪琪一个劲地说"谢谢"："得让狄安记着这笔账，有一天他有钱了，还是要还的。"

当晚，琪琪拿着我的一万元就去了"天堂"酒吧找狄安。狄安一个人正在房间里抽烟，明显瘦了很多。

琪琪小心翼翼地把自己这一周为狄安出专辑忙碌的事情，说给狄安听。狄安很感动，眼泪都流出来了，抱着琪琪说："理想为什么总是斗不过现实啊，坚持了这么多年，出张专辑都要如此坎坷，这是为什么，为什么？"

琪琪最后又把出版CD的数目的事说了："我们要不先出五千张，如果销量可以的话，再发行一批。"

狄安不干了："怎么也要出一万张，出五千张算什么呀，不被人笑话吗？"

琪琪说："亲爱的，出一万张，这钱从哪里筹啊？我出一万，你同学出一万，你自己刚才也说，你全部的积蓄也只有两万，那也还差四万啊。"

狄安低下了头，头发乱得像个狮子。良久，狄安说："我考虑下，看能不能想到办法，再多筹四万块钱，如果实在不行，那就发行五千张吧。时间到了，我要唱歌了。"

琪琪说："那我就跟北京那边回话了，就说我们决定要出版了，让他们下周派来录音师什么的，好不好？"

"好。"狄安无限感激地摸了摸琪琪的头，提着吉他出去了。

心情极其郁闷而又无奈的狄安，一上台就声嘶力竭地唱起了何勇的成名曲《垃圾场》：

我们生活的世界
就像一个垃圾场
只要你活着
你就不能停止幻想
有人减肥有人饿死没粮

几首愤怒、狂躁的歌下来，狄安就碰到了正端着玻璃杯、摇晃着红酒的有钱女人张温馨。张温馨和以前一样不咸不淡地问："专辑出来没有？我等着去买啊。"

狄安也没好话："出个屁，不出了。"

张温馨勾过头来说："怎么了，碰到困难了？"

狄安不知道该说什么，走到酒吧门口抽起烟来。

张温馨跟了出来："你今天很郁闷啊。"

张温馨阴魂不散。

狄安说："是啊，超级郁闷，你想怎么样啊？"

张温馨说："那我们开车出去兜兜风，没准我能帮你解决困难。"

狄安很烦这些动不动就说"兜风"的女人。狄安没有经历过，但也听说过：这个城市有很多有钱的女人，她们单身或者有家有口，但她们寂寞，她们花钱找"鸭子"，甚至包养小白脸。狄安心

254

想，一我不是"鸭子"，二我也不喜欢被人包养，凭什么要和你有钱女人张温馨出去兜风？但是听到"没准我能帮你解决困难"时，狄安心里震了一下。

"你怎么帮我？"狄安说。

"你要我怎么帮？走，上车说。"张温馨"嘀"的一声，按开了宝马车门。

这是狄安第二次坐张温馨的车。第一次完全是恶作剧，让张温馨请自己几个同学在"王子厨房"吃了顿大餐。那一顿花费六千，简直是在吃人民币。

张温馨在车里再次说起，狄安如何像她的也是搞摇滚的弟弟。

狄安一听这些就烦了，说："你不是在香港工作吗，怎么经常看到你来'天堂'酒吧？"

张温馨说："我已经在深圳买了房子了，每天下午下班后，就从香港过来深圳，一天下来在深圳的时间要多过在香港的时间。"

心情烦躁得很的狄安，不想跟这个普通话说得有点拗口的女人胡扯，觉得很没意思，揶揄了一句："你是富婆啊。"

张温馨又开口了："你出专辑的事是不是碰到困难了，我给你提供赞助吧。"

"你赞助？"

"没问题。"三个字迅速地从张温馨的嘴里蹦出来，普通话说得异常的清晰，"你说个数字，多少钱？"

"那你的条件是什么？"狄安问。

"没什么条件。友情赞助。我们交个朋友。"张温馨拿出一张纸条说，"想好了，找个晚上来我家取钱。这是地址。"

10

狄安弟弟狄静正式开始了他的摇滚人生。

弟弟从内地辞职来深圳一个月了，狄安才发现自己因忙着筹钱、出专辑，都忘了去看看同胞兄弟。弟弟到深圳后，给狄安打过一个电话，说他住在同学家里，一切都已经安顿好，不用担心。

狄安一想起弟弟说要搞摇滚的事情就难受。他已经够难受的了，他不喜欢二十四岁的弟弟也跟着难受。摇滚是那么好玩的吗？弟弟啊，弟弟，你真是不知道这趟水有多深？

狄安准备晚上去看看弟弟，一起吃个饭。然而，一打电话却是关机。下午六点了还关机，难道还在睡觉，难道他真的过上夜生活，黑白颠倒？

狄安立即给所有认识的摇滚乐手打电话，问是否知道有个叫狄静的小伙子，在哪个酒吧唱摇滚？这些乐手都是靠酒吧生存的人，自然对每个酒吧的情况了如指掌。电话没打两个，一个吹萨克斯的四川小伙子告诉狄安："那小子是你弟弟啊，他在'梦幻'酒吧唱歌，靠，他唱摇滚比可你猛多了，号称'中国南方第一朋克'。"

狄安知道"梦幻"这个酒吧。香港人开的，玩的也大多是香港人和老外。狄安早年闯深圳的时候，迫于生存，跑过一次这个场子。狄安印象最深的是这个酒吧里的人，那疯得很，都是吃了"摇头丸"的男女，一到夏天，女的穿得少啊，只剩下三点式了，一过凌晨，男女之间的动作大胆得简直是旁无他人，摸摸捏捏，就差没脱衣服真刀真枪干起来。还有，这个酒吧里，每个男女的问候只有一句："high不high？"为此，酒吧老板对于歌手的选择只有一个标准：你能不能让现场的男女high起来？

晚上十点，狄安进入"梦幻"。这场子还是那装修，迷宫一样。里面已经"锣鼓喧天"了，三三两两打扮妖艳的女人叼着烟进进出出，让人顿时觉得热血沸腾、躁动不安。

狄安撩开布帘就看到了舞台上的弟弟。弟弟正在唱歌。那是唱歌吗？狄安看到的弟弟完全是一个疯子：肩上背着吉他，可却没见他弹几下，倒是其他几个乐手玩得很疯，鼓手已经脱光了衣服，只剩下裤衩，贝斯手和键盘手头摇得厉害，长发甩着汗水胡乱地贴住眼睛、鼻子。关键是不知道他在唱些什么，或者他就根本就没有歌词。弟弟一会儿蹦起来，一会儿跳到舞池中间，躺在地上，张牙舞爪。那哪是演唱，那是疯了的小丑。弟弟越是这样，舞池里的男女越起哄得不行，头摇得更厉害了。

高分贝的噪音又起来了。弟弟再次发出杀猪般的叫声，一遍一遍地问"你们high吗？这里是'中国南方第一朋克'。欧耶！"

弟弟的话一说完，一个穿得光光的女人跑上去了，这女人抢过话筒："牛×，让我和你high。"这女人从身后抱住了弟弟，自顾自摇起了头。弟弟一面扶着话筒一面说："high吧。"

狄安感觉有股热血冲上了自己的脑门儿。狄安冲上了舞台，一把拖下了正在摇头的弟弟。弟弟还莫名其妙呢，一拳冲过去，把狄安打了个趔趄。弟弟一看是狄安，忙问："哥，你这是干什么？"

保安冲了上来，以为发生了打架斗殴事件。狄静和保安说："没事。"狄安就跟着弟弟走下舞台，来到酒吧外面。舞台上的那个女人似乎不过瘾，大呼："'中国南方第一朋克'，牛×，来high啊。"

酒吧外，素来兄弟情深的狄安和狄静大吵起来。

"这是不是摇滚，与你无关。我们不是一个年代的人，你有你的摇滚风格，我有我的摇滚风格。我就喜欢形式，我就讨厌内容。"狄静喊道。

"狗屁风格。你是不是也吃'摇头丸'了？"狄安扯住狄静。

"我没吃就不可以摇头吗？我在享受朋克带给我的疯狂和快乐。朋克，哥，你懂吗？死亡金属，你懂吗？"狄静仰起他同样消瘦而轮廓分明的脸。

"啪"的一声。狄安给了弟弟一巴掌："你这样玩下去，会把自己玩完的，不可能有出路。有点理想好不好？"

弟弟一声不吭，很久之后，咬牙切齿地说："你有出路吗，你玩了这么多年的摇滚，你出了专辑吗？你开过演唱会吗？你是崔健吗？你是谁？你跟我一样，什么也不是！"

"我是你哥！"狄安吼了起来，瞬间又压低了声音，"求你别玩了，去做你的建筑设计吧，难道要我跟你跪下吗？"

"我跟你跪下。"狄静双膝像两截松木一样，在水泥地发出沉闷的巨响。

狄安不知道该说什么，扭头大步离开了"梦幻"。狄安满脸通红，充满了愤怒和耻辱。狄安低着头，摸摸口袋，烟没了。"梦幻"里又传出弟弟的尖厉的声音："你high吗？今天晚上让我们high到底，让理想他妈的去死吧。"

此时，有钱女人张温馨又发来短信：你出专辑要多少钱？

狄安没有像以前那样直接删除短信，而是读了一遍又一遍。狄安认真地回了短信：四万。

短信很快又来了：过来，我赞助。地址就是上次写给你的那个。

狄安摸摸裤袋，找出一张纸条，看了看，然后直奔高尔夫私人俱乐部。

狄安知道有钱女人的目的是什么，当自己被张温馨压倒在造价五万八千元的性爱水床上的时候，张温馨迷恋地摸着狄安消瘦的脸说："你真是酷呆了。"

在那个温柔如水的夜里，耐心的猎人张温馨终于举起了擦得油亮油亮的猎枪，把狄安击倒在地，血染满山，气势磅礴。

然而，接下来的并非是张温馨想象的那样：猎物血染满山，猎者气势磅礴。任凭张温馨如何挑逗，狄安就是无法给予最坚硬的回应。猎物确实是倒下来了，完完全全地倒了。

这个场面，狄安也很失望。他知道自己此行夜奔的目的，带刀夜奔，没想到刀却失去了锋利和光芒。狄安在松软、荡漾的水床上，闭上眼。可以听到水的声音。一会像港湾里的浪花轻轻拍岸，一会如山间溪水汩汩长流。狄安使劲在想象：这是一个性感的凡间美人，在水声中冲他走来，娇媚地微笑，越来越近，薄雾包裹着她，还有丝滑饱满的身体。……越来越近，几乎触手可及，可摸，可抓，可撕咬。终于抓到了，可却是一把吉他。

一把吉他！

一把黑黝黝的吉他，琴头多余的钢弦在黑暗中颤动，发着冷冷的光，仿佛刚被弹过。那该是一曲悲愤的、充满力量的摇滚乐！

狄安就这样在幻想中失败，满头沾着冷冷的汗水。恐惧、罪恶、耻辱、疲倦，所有的感觉占据着身体，让他感觉到自己周身都在紧缩，像冬天枯萎的野菊花。

张温馨也从幻想中坐了起来。水床瞬间恢复了平静。

"给我弹首歌吧。"

没等狄安坐起来，张温馨从衣柜里抱出了一把吉他。

"这是我弟的，遗物。"张温馨把吉他塞进狄安怀里，"你弹，我就会想起他。"

狄安右手扣到琴弦上，能感觉这把琴闲置有一段时间了。弦有点松。

"弹吧。我听。"张温馨已经坐到了床下，一束刚扭开的暗红的灯光正好打在她的脚下，人被隔在黑暗中，脸上的落寞比黑还黑。狄安第一次觉得这个女人是多么可怜。

那天晚上，狄安唱了一夜的歌，曲调大多比较悲伤、抒情、舒缓。狄安觉得自己从第一首歌起，就注入了满满的情绪，觉得这些悲伤之歌，其实就是唱给他和有钱女人张温馨听的。

唱的第一首歌是黑豹乐队的《怕你为自己流泪》：

> 一切一场梦
> 一切将成空
> 一切留在孤独回忆中
> 一切不是梦
> 一切也不是一场空
> 不要把我关在门外

11

第一次和有钱女人张温馨独处的那个晚上，狄安就露出了破绽。那天晚上，琪琪来到"天堂"，想把北京那边的情况告诉狄安。按道理，每天晚上，狄安一般都会是在酒吧里的，除了和同学或者其他乐手吃饭去了。可琪琪左等右等到十一点，马上就到狄安唱歌的时间了，还是不见他人影。连老板都在找他了。琪琪连忙打狄安的手机，结果也是关机的。

当晚，狄安十二点多才回到"天堂"。属于狄安的那半个小时的演出时间，老板找人顶过去了。琪琪着急地问："你都去哪了？"

狄安撒谎说："去找弟弟了，两人闹崩了。"

琪琪说："那你怎么忘了演出时间呢？"

狄安岔开话题说："北京那边怎么答复的？"

琪琪说："他们下周来，让我们把所有的歌都排熟练，并且确定发行的数量。"

狄安说："你答复他们，发行一万张。我能再找四万块钱的，你放心。"

琪琪说："时间都这么紧了，你去哪找啊？"

狄安说："我自有办法。"

时间很晚了，狄安把琪琪送回家后，又直奔张温馨的私人俱乐部。虽然不能在身体上满足张温馨，但狄安答应了在一周之内，自己是属于这个有钱女人的，随叫随到，陪吃陪聊陪玩陪睡，抱着她死去的弟弟的吉他，整夜整夜地唱歌。

张温馨是在第五个晚上付的钱。四万块钱，四个"砖头"，其实并没有多少，两个裤袋一揣就行了。对于张温馨来说，四万块钱不过是几顿"王子厨房"，或者说不过是几套一线名牌时装。

可对狄安来说，这，意味着理想。意味着理想又朝自己走近了一步：那该是多么美好的时刻，我也有了自己的专辑，我的专辑摆在各大音像店、书店里公开发售；我要把这些专辑送给每一个同学，让他们知道当年的逃课大王也有今天；唱片公司还会组织我到全国签售；各路媒体都会追踪报道，《漫漫十年摇滚长路，深圳歌手一鸣惊人》这新闻标题多棒……

狄安把手插进裤袋里，感觉到里面的一扎钱，硬硬的，暖暖的。手抽出来，闻闻，居然有一种说不出来的香味，好闻极了。

然而，就在狄安感觉即将得到理想的时候，他却失去了另外一个重要的东西：爱情。

从狄安第一次奔赴张温馨密室、错过表演时间、很久之后才回到"天堂"酒吧起，敏感的琪琪就觉得男朋友狄安有点异样。果然，连续几天，琪琪发现狄安唱完歌后，就不愿意待在酒吧里和其他乐手聊天了，而总是想把自己送回家，然后自己也回家，说什么"马上要录音了，要多睡觉"。

为什么狄安对于找四万块钱的事，那么胸有成竹？难道是有什么秘密不能告诉我？琪琪越想越觉得不对，于是就在狄安和张温馨合约的最后一个晚上，进行了跟踪。

琪琪坐在出租车里，亲眼看见了这么一个过程：狄安先是坐出租车到了一个商场门口，没两分钟，一个提着大包小包的女人出来了，女人搂着狄安进了停在路边的宝马车里，然后绝尘而去。

琪琪继续跟踪发现，狄安和女人进了一个豪华神秘的酒店，然后就再也没有出来。

琪琪的第一个念头就是：狄安被富婆包养了。

琪琪的第二个念头就是：狄安真他妈的恶心。

琪琪的第三个念头就是：不能放过这对狗男女。

可怜的琪琪就这样守在酒店门口，直到天亮。整夜，琪琪一想起自己尽最大力量帮助狄安实现理想、而狄安却撒谎欺骗自己、并跟一个女人搞在一起时，悲愤万分。

琪琪从天亮又等到中午，又困又渴又饿。琪琪就是不挪动半步，一定要等到狄安和那女人出来。

十二点，狄安和拐着狄安的女人出来了。琪琪所有愤怒都爆发出来了，还没等对方反应过来，狄安和张温馨分别被扇了两巴掌，"啪啪"，耳光响亮。

琪琪扬长而去。狄安这才发现是女友琪琪，连忙追上去。琪琪停住："你想说什么？"

狄安说："你听我解释。"

"啪"，又是一个响亮耳光。琪琪走了，并且迅即在路拐弯的书报亭买了张电话卡，把手机号码都换了。

狄安再也联系不上琪琪，琪琪再也不来"天堂"酒吧。两人的爱情就在一个响亮的耳光中结束了。

凑够了八万块钱，狄安的专辑录音、合成、后期制作，顺利进行。为了纪念他和琪琪的爱情，《飞翔》这首歌直接用的是小样里的录音，因为里面有琪琪天籁般"呜呜"的和声。那是一只鸟的翅膀划过天空的声音。

也同样是为了纪念这份爱情，纪念这份被粉碎的爱情，狄安最后把专辑名字改成《粉碎》。

专辑封面上写着：这张唱片送给我的十年摇滚生涯和一场粉碎的爱情。

狄安不知道的是，这所有的一切，对于琪琪来说都是无济于事的，因为琪琪很快离开了深圳，到了西北一个很小的城市。那个小城里没有摇滚，更不可能买到狄安的摇滚唱片。那个小城只有永远唱不完的卡拉OK和永不过时的"四大天王"。

12

一箱子的理想从北京寄出，到达深圳摇滚歌手狄安手里的时候，正是2005年底，一个阳光很好的清晨。

快递公司的两个小伙子艰难地把一个二十九寸彩色电视机包装箱挪到了狄安的门前。一个小伙子让狄安在交货单上签字，一边小心地问："老板，这箱子里是啥东西，这么沉？"

狄安说："是唱片？就CD啊。"

小伙子说："哦，什么碟啊，这么多。"

狄安说："我自己的专辑。"

小伙子说："你是歌星啊？"

狄安说："嗯。"

狄安费了好大的劲才将包装扯开。

码得整整齐齐的一万张唱片就在里面，"粉碎"两字印在狄安的胸膛上，一把旧吉他的碎片把狄安的脸覆盖得零零碎碎。

理想。理想实现了，所有的理想就在眼前，就在这箱子里。狄安不敢拿出一张CD，生怕一碰它们呢，理想又缩回去了，不见了。

狄安一会儿躺床上，一会儿看着箱子，一会儿来回走着，一会儿站在窗前，静静看着窗外的人潮汹涌。整个上午，狄安就这样艰难度过。这一个上午的时间似乎比自己摇滚十年的时间还要漫长。

从下午开始，狄安恢复正常。狄安仍然不甘心地拨打琪琪的电话。电话关机！琪琪是真的消失了。狄安多想把这个消息告诉她，然后站在人潮汹涌的大街上，等待飞奔而来的她，把这个彩色的梦亲手交给她，让她抚摸，让她聆听。

悲伤之后，狄安把电话打给了"天堂"酒吧老板。狄安问酒吧老板有没有认识大书店或者音像店的人。

酒吧老板说："没有。"

"唱片出来了，总得搞搞宣传吧。难道这一万张CD就这么陪伴我到死啊？"狄安说。

"我这边能帮你的就是，今晚搞个你的个人专辑发布专场演唱会，对，就今晚，正好周末，我现在就叫人给你做海报。"酒吧老板是个很直爽的人。

狄安的第三个电话打给了一个曾经采访过他的女记者。女记者在电话里很果断地说："抱歉，你出专辑的新闻肯定登不出来的，事情太小了。"

三个电话之后，狄安找来了一个大旅行包，装上一百张CD出了门。狄安来到市里最大一家音像连锁店，推销新专辑。

"你好，我自己刚出了一张新专辑，因为北京那边不负责咱深圳这里的发行，我想看看我们能不能合作一下，把这唱片卖出去。"狄安说。

"什么唱片？我看看。"接待狄安的一个中年男子说。

"摇滚唱片。我本人是深圳天堂酒吧的驻唱歌手，搞摇滚搞了十年。"狄安伸手进去旅行包里，拿唱片。

"哎呀，摇滚啊。很难卖的。"中年男子没看专辑就叹气了。

中年男子没怎么看狄安递过来的CD就推了回去："你这东西没市场，我们最多就是让你把碟摆在货架上，等于替你卖，然后一个月后来结算，我们五五分成。"

狄安张了半天嘴，最后又说："那这碟你们准备定价多少钱呢？"

"兄弟啊，我跟你说，我完全是在帮你，你不要觉得五五分成太亏。不论你这碟定什么价，一个月内能卖十张就算不错了，可能一张都卖不出去。你看，除了崔健、黑豹，我们就没卖什么摇滚乐了。摇滚乐的市场，我相信你比我更了解。"中年男子竟然称狄安"兄弟"，让狄安颇为诧异。不过这"兄弟"一出口，狄安感觉他说的话蛮有道理的。

"那行，我放五十张在你这卖。"狄安说。

"十张够了，放多了我们难保管。"中年男子说。

一个下午，狄安跑了十一家音像店，把旅行包里的一百张CD终于倒出去了。有两家音像店死活只答应收留两张，还说完全是盛情难却。

推销过程中，狄安谈不上悲伤，一个华丽的梦做完后，早应该意料到清晨的冰凉。晚上的演出专场，狄安把专辑里的十首歌全部唱了一遍。汗水流在脸上、眼睛里、嘴里，狄安都抽不出空去擦擦，狄安的嘴唇始终紧贴在话筒边上，狄安害怕自己丢失了任何一句歌词。这些一句句的歌词都是自己十年的心血，它胜过青春、胜过爱情、甚至胜过生命。十年凝聚成一个夜晚，狄安没有说多少的话，除了不停地唱。

狄安在唱到《我不要天堂》的时候，眼泪和着汗水流了下来，狄安用嘴唇装着，都是咸和苦的味道。

> 我走过很多地方
> 那些记忆陪我度过内心的荒凉
> 多少次我躺在床上看着天亮
> 故乡成了永远回不去的地方
>
> 我仍然走在路上
> 但我要去的地方不再是那天堂
> 我做梦都在想象一个温暖的家
> 家是我今天正在奔跑的方向
>
> 行囊仍装着理想
> 只是我不再迷恋镜中月的天堂
> 我千回百转走过城市和村庄
> 逐渐发现安静生活是我的向往
>
> 我不要天堂

> 我要实实在在
>
> 看一只小鸟飞过窗台
>
> 听一朵浪花夜里拍岸
>
> 我不要天堂
>
> 我要自由自在
>
> 让我去呼唤童年玩伴
>
> 让我去找回最初的爱

天堂在哪里？在自己新的专辑里吗？专辑出来了，可那不是天堂。

十首歌，不到一个小时就唱完了。或许是狄安都是在唱自己的歌，或许是狄安这些自己的歌太没名气，下面的观众兴致并不怎么高昂，不少人甚至都提前离开了酒吧。

酒吧老板想得周到，特意在吧台空了个位置，服务员摆了些狄安的CD在上面，并立了个牌子。服务员和狄安都很尴尬，因为一个晚上就卖出两张碟。一支新买的签字笔，盖着笔帽安静地躺着。

狄安觉得胸闷得很，到酒吧外抽烟。"天堂"两个斗大的霓虹灯就挂在狄安的头上。

此刻，酒吧里正播放着披头士乐队灵魂人物约翰·列侬的经典老歌《上帝》：

> 我不相信耶稣
>
> 我不相信肯尼迪
>
> 我不相信披头士
>
> 我只相信我自己
>
> 梦已结束

还有什么可说

梦已结束

写完《上帝》后，1980年12月8日，这位历史上伟大的摇滚教父，在曼哈顿寓所遭到歌迷枪杀，终年四十岁。

梦已结束。

狄安在想："专辑出来了，难道我的梦也结束了？"

13

狄安个人专辑发布专场演唱会结束后，不到一个小时，狄安就出事了。

当晚，狄安突然想起弟弟狄静来。自从上次在"梦幻"酒吧和弟弟大闹一场后，狄安忙着专辑的事情，一直没有找过弟弟，弟弟也没找过狄安。或许弟弟还在生狄安打他那一耳光的气吧。

狄安决定去"梦幻"酒吧找弟弟，这个号称"中国南方第一朋克"的弟弟，这个叫人不放心的弟弟。

"梦幻"依旧是"high"声一片，三三两两的妖艳女人进进出出，那些一看就知道吃了摇头丸的前卫青年正飘在半空中，欲仙欲死。

弟弟不在舞台上。狄安这才意识到时间已经是午夜12点，或许弟弟的演出时间已经结束了。狄安打了弟弟手机，通了但没人接听。狄安问一个手托托盘的服务员："那个'中国南方第一朋克'的歌手去哪里了？"

"他？他刚唱完，好像刚被老三带走了。"服务员说。

"什么？老三是谁？"狄安听得莫名其妙。

　　"老三你都不知道啊？黑社会大哥老三啊。"服务员轻蔑地笑着，"那个摇滚歌手好像被老三包了吧，他最喜欢脸型消瘦、身材高挑的男人。"

　　狄安拔腿就往外冲。远远地，狄安就看到一个熟悉的背影。那个瘦高的背影就是弟弟狄静，一个粗壮的男人正搂着弟弟的腰穿过马路，随后钻进了路面的一辆黑色轿车里。

　　狄安的呼喊声已经被汹涌的车流声淹没了。狄安立即坐上出租车，叮嘱司机紧跟前面的黑色轿车。黑色轿车开得实在是猛，出租车始终落在后面。

　　车估计开了五十分钟，前面的黑色轿车才在一个偏僻的度假村里停了下来。就在弟弟和那粗壮男人等待大堂电梯的时候，狄安终于追了上来。

　　狄安拉着弟弟的手就往外拖。狄安太气愤了，狄安太激动了，使出了浑身的力气，把瘦弱的弟弟一拖就拖倒了。

　　狄静怎么也没想到是哥哥："你要干什么？你快走啊。"

　　狄安喊道："我要带你回家。"

　　黑社会大哥老三走过来了："兄弟，有话好说，别大吵大闹的，别人听到了不好。"

　　"他是我弟弟，你不要害他。"狄安直视老三说。

　　"你弟弟？听说你也是个摇滚歌手。好，别说这么大声，半夜三更的，到我房间里，你们弟兄慢慢说。"老三刚说完，电梯门开了，跟在老三后面的三个保镖一把把狄安、狄静推进了电梯。

　　老三的房间就在二楼。一出电梯门，狄安就又拉着狄静进电梯。老三和三个保镖二话不说，一拳把狄安打倒在冰凉的地板上。

　　狄安爬起来对老三说："他是我弟弟，你放过他。"

　　老三说："他是你弟弟？他现在是我弟弟！滚。"

"变态！"狄安不知道哪里来的力气，突然站起来，一拳击中了老三长满粉刺的鼻子，鼻血当场飞了出来。

狄安这一拳的结果是，狄安被两保镖拖进了一个房间里。关上门，摔倒在地的老三喊了一声："剁个手指。"

一道白光一闪而过。刀起，刀落。被按在桌子上动弹不得的狄安，在一阵剧烈的疼痛中昏倒在地。

十五分钟后，狄安在疼痛中醒来。狄安一睁开眼就看到了躺在地上的半截拇指，血在光滑的大理石地板上，肆意流动。狄安右手的半截拇指被剁掉了。

狄安忘记了剧痛，捡起地上的半截拇指就往外冲。凌晨的度假村里，空无一人，狄安嘶哑的喊声冲破夜空。

握着半截拇指的狄安，在茫茫黑夜中，不知道跑了多久的路程，终于搭上一辆出租车，向医院飞奔。急诊科的值班医生看了看狄安手里的半截拇指说："失血过多，已经坏死，接不上了。"

狄安靠在医院的墙上，慢慢地溜了下来。医院接待大厅里的灯光亮如白昼，医生护士匆匆忙忙地跑动着，抱着孩子的母亲温柔地哄着孩子，没有人看到狄安苍白的脸庞。

深夜两点，弟弟狄静和两个警察来到医院。弟弟说，老三半路把他赶下，仓皇逃离，他立即报警，警察根据车牌号刚刚将他们抓获。

笔录很快做完，走出医院，狄安坐在马路牙子上。狄安突然想起了什么，立即让弟弟马上回去把吉他取过来。吉他送来了，狄安抱起吉他就弹，却发现短了半截的拇指，要拨到琴弦已经很困难了。

滂沱般的泪水汹涌而出，顺着狄安的脸，落在吉他琴箱上，无声无息。

14

故事并没有结束。

狄安出事之后三个月，作为狄安的死党，该死的我才知道事情的经过。那天，我又失恋了。我插着口袋走在大街上，漫无目的，一个十足的失败者。大街两侧的木棉树开始吐艳，春天来了。

我想起给狄安打个电话。他的唱片肯定出来了，这家伙该一定很牛×了。

电话通了很久没人接。一会儿，狄安打过来了，电话里首先听到的是咚咚的沉闷声，我知道，那是架子鼓声，他们正在排练。我大声说，妈的，唱片出了当明星了就不理兄弟了，这么久没个信，发财了先还我那一万块钱。狄安叫我晚上到"天堂"。

我到达"天堂"的时候，狄安已经站在舞台上。人依旧那么多，"牛×"、"牛×"的呼声依旧那么猛、一曲完后端个酒杯争着上去和狄安喝酒的女人依旧那么美丽性感。一缕头发贴在狄安脑门儿上，汗水就顺着头发溜下，像一道柔软的光，随着身体的摇动，一闪一灭。

毕竟干过乐队，我发现了事情有点不一样。一是，狄安自始至终没有使用吉他，取而代之的是一把小小的手铃，他的吉他落寞地立在身后；二是，站在前排的主音吉他换人了，不是以前的豆哥，取而代之的是一个更年轻的小伙子。小伙子戴着低低的棒球帽，头几乎没有抬起过，但稍微专业一点的人都听得出来，这小子的琴玩得真棒、真用心。

狄安下来了，像往常一样，背上吉他，奔我而来，一只大手把我的肩膀拍得生疼。我们走出"天堂"，买了两瓶水，沿着一个无名街巷走了几十米，坐在马路牙子上。街灯已灭，四处黑暗。

狄安伸出右手，左手擦亮打火机。我从四个指缝中，看到了狄安的脸。汗还没有完全晾干，那缕贴在脑门儿上的头发仍在。

是的，我从四个指缝中，看到了狄安的脸。

打火机灭了，狄安谈起他现在的情况。那个主音吉他手是他弟弟狄静，乐队的名字已经更改，名为"brother"，"兄弟乐队"。

"《粉碎》那张唱片有很多需要改动的地方，我们最近又重排了一遍。"狄安说，"重排之后，这张唱片还是要推出来。"

"还叫《粉碎》吗？"我问。

"不叫了。叫《不死的心》。"狄安说。

一大段的沉默，在我们两人之间，在黑夜中弥漫开来。

此刻，一把全身黑色的吉他，安安静静地躺在狄安的怀里，像个玩累回家沉睡的孩子。这把吉他购于我们大学同学毕业五周年北京聚会的那个秋天。狄安没有参加，他觉得自己一事无成。我们在北京狂欢的时候，狄安倾其所有买了这把昂贵的琴，然后在夜里把琴身全部漆成黑色。

黑吉他在黑暗中泛着光。微光。

后 记

叛徒，我为你骄傲！

1

最紧要的第一句话：为什么书名要叫《四个叛徒》？

因为四部中篇小说里的四个主人公，都是生活中的叛道离经者。他们在城市里活得好好的，但他们非要走一条岔道，告别我们习以为常的生活。

跟大众告别。

跟日常告别。

跟自己告别。

他们是生活的叛徒。

他们是城市的叛徒。

他们是自己的叛徒。

四个叛徒。

2

第一部小说，《洗尘》。小说主人公是一个中型企业主，资产早已不是有房有车这么简单。身边的同类人——老板们，生意之外，都在追逐女色、游戏人生。用圈子里的话说："四十多岁了，老婆老了，孩子出国了，钱多钱少不过是一个数字，天下就是你的，还不玩，对不起自己。"可是，主人公偏偏要做一个英雄：他不仅要拯救自己，还要拯救这些老板。他去劝别人不要玩女人！你看，你看，他做的什么事哦。

第二部小说，《爱了就爱了》。爱了就爱了，错过就错过了。天下哪个人又能掌握自己的命运。可小说主人公是个例外。他已成家，但他却突然放弃一切，在某个雨夜里启程，去寻找初恋。这个世界上，总有一股爱了就爱了在召唤我们，但一万个人都会趋利避害，假装听不见。只有他，我笔下的主人公，听见了，并且追随之！

第三部小说，《高速生活》。一个中产之家的故事。中国改革开放30多年，一个词可以概括：速度。社会发展太快了，观念更替太快了，人心变化太快了，欲望膨胀太快了。宛如行驶在高速公路上，上了车，下不来，不能停车，连掉头的机会都没有。主人公是一对小夫妻，他们一边适应，一边牢牢拽着最后的行李：理想、良知、底线。

第四部小说《黑吉他》。主人公把吉他涂成黑色。我自己为这个莫名其妙想到的细节感动。什么叫青春，这就是。迷惘、天真、伤痛、挫败，他都经历了。一般人，等到青春结束，自然回到常人轨道，过着千篇一律的生活。可他，哼！一把燃烧的黑吉他，刺向天空！

3

《洗尘》写于2012年。

《爱了就爱了》写于2003年。

《高速生活》写于2012年。

《黑吉他》写于2007年。

这四部小说写作时间跨度整整十年。

写得比较早的《黑吉他》《爱了就爱了》，写的是青春。

写得比较迟的《高速生活》《洗尘》，写的是人到中年。

贯穿这四部小说，其实是人的精神成长：《黑吉他》，青春不死；《爱了就爱了》，追随爱情；《高速生活》，家庭生活；《洗尘》，自我救赎。

4

如果说两万字以上为中篇小说，我这十多年就留下这"四个叛徒"。

相比较而言，我更乐意写短篇小说或者长篇小说。

短篇小说，考验一个写作者的技艺和思想深度。短篇小说距离艺术最近。我的理想是写出迷人的短篇小说。

长篇小说，可以满足一个写作者的虚荣心。因为长篇小说出版最容易，运气好，还有一笔不错的收入。

这是实话。

还有一句实话：我真的不知道"中篇小说"这个类型，到底该怎么写好！

2015年5月18日子夜一点，深圳